Hans Sachs

Meistergesänge
Fastnachtspiele
Schwänke

Herausgegeben von
Eugen Geiger

Philipp Reclam jun. Stuttgart

Universal-Bibliothek Nr. 7627
Alle Rechte vorbehalten
© 1951, 1981 Philipp Reclam jun. GmbH & Co., Stuttgart
Gesamtherstellung: Reclam, Ditzingen. Printed in Germany 1995
RECLAM und UNIVERSAL-BIBLIOTHEK sind eingetragene
Warenzeichen der Philipp Reclam jun. GmbH & Co., Stuttgart
ISBN 3-15-007627-7

Summa all meiner gedicht vom MDXIIII jar an biß ins 1567 jar.

Als man zelt viertzehundert jar
Und vier-und-neuntzig jar fürwar
Nach deß herren Christi geburt,
Ich, Hans Sachs, gleich geboren wurd
Novembris an dem fünfften tag,   5
Daran man mich zu tauffen pflag,
Eben geleich grad in dem herben,
Grausam- und erschröcklichen sterben,
Regiret in Nürnberg, der statt.
Den brechen auch mein mutter hatt   10
Und darzu auch der vatter mein,
Gott aber verschont mein allein.
Siben-järig darnach anfieng,
In die lateinisch schule gieng;
Darinn lert ich puerilia,   15
Grammatica und musica
Nach ringem brauch derselben zeit;
Solchs alls ist mir vergessen seit.
Neunjärig aber dreissig tag
Ich an dem heissen fiber lag.   20
Nach dem ich von der schule kam
Fünfftzehjärig und mich annam,
Thet der schuhmacher handwerck lehrn,
Mit der handarbeit mich zu nehrn;
Daran da leret ich zwey jar.   25
Als mein lehrzeit vollendet war,
Thet ich meinem handwerck nach wandern

---

6 *zu tauffen pflag:* taufte.
8 *sterben:* der oder die sterbe: Tod, Pest.
10 *brechen:* der breche: Gebrechen, Seuche.
15 *puerilia:* dem Knabenalter Entsprechendes.
17 *ringem:* ring: leicht, bequem.
22 *mich annam:* sich annemen: sich abgeben mit.

Von einer statte zu der andern,
Erstlich gen Regnspurg und Braunaw,
Gen Saltzburg, Hall und gen Passaw,   30
Gen Wels, Münichen und Landshut,
Gen Oeting und Burgkhausen gut,
Gen Würtzburg und Franckfurt, hernach
Gen Coblentz, Cölen und gen Ach;
Arbeit also das handwerck mein   35
In Bayern, Francken und am Rein.
Fünff gantze jar ich wandern thet
In dise und vil andre stätt.
Spil, trunckenheit und bulerey
Und ander kurzweil mancherley   40
Ich mich in meiner wanderschafft
Entschlug und war allein behafft
Mit hertzenlicher lieb und gunst
Zu meistergsang, der löbling kunst,
Für all kurtzweil thet mich auffwecken.   45
Ich het von Lienhardt Nunnenbecken
Erstlich der kunst einen anfang;
Wo ich im land hört meistergsang,
Da leret ich in schneller eil
Der bar und thön ein grossen teil,   50
Und als ich meines alters war
Fast eben im zweintzigsten jar,
Thet ich mich erstlich unterstahn
Mit gottes hülff zu dichten an
Das bar in dem langen Marner: 55
Gloria patri lob und ehr,
Zu Münnichen, als man zelt zwar
Fünfftzehundert-viertzehen jar,

---

30 *Hall:* Reichenhall.
45 *Für:* statt.
50 *bar:* Meistergesang, aus drei oder mehr Strophen (Gesätzen) bestehend. –
thön: Ton: Versbau und Melodie, nach einem Meister genannt, z. B.
Marner.

Halff auch daselb die schul verwalten,
Thet darnach auch selber schul halten   60
In den stätten, wo ich hin-kam,
Hielt die erst zu Franckfurt mit nam,
Und nach zwey jarn zog ich mit glück
Gen Nürnberg, macht mein meisterstück.
Nach dem ward mir vermählet drinn   65
Mein gmahel Küngund Creutzerin,
Geleich an sanct Egidi tag,
Am neundten tag der hochzeit pflag,
Als man gleich fünfftzehundert jar
Und neuntzehen jar zelen war;   70
Welche mir gebar siben kind,
Die all mit dot verschiden sind.
Und als man fünfftzehundert jar
Und auch sechtzig jar zelen war,
Am sechtzehendn tag Marci im frid   75
Mein erster gemahel verschid.
Als man zelt ein-und-sechtzig jar,
Am zwölfften Augusti fürwar
Wurd mir wider verheyrat da
Mein andre gmahel Barbara   80
Harscherin, und am erichtag
Nach sanct Egidien, ich sag,
War mein hochzeit fein schlecht und still;
Mit der leb ich, so lang gott will.
Als man aber zelet fürwar   85
Geleich fünfftzehen-hundert jar
Und siben-und-sechtzig ich sag,
Januarij am ersten tag,
Meine gedicht, sprüch und gesang,

59 *Halff ... verwalten:* als Leiter einer öffentlichen Singschule der Meister-
  sänger.
68 *Am neundten ... pflag:* Schlußfeier der Hochzeit am neunten Tag, dem
  1. September (St.-Egidien-Tag).
81 *erichtag:* Dienstag.
83 *schlecht:* schlicht, einfach.

Die ich het dicht vor jaren lang, – 90
Da inventirt ich meine bücher,
Ward gar ein fleissiger durchsücher
Der meistergsang-bücher zu-mal,
Der warn sechtzehen an der zal;
Aber der sprüchbücher der was 95
Sibenzehne, die ich durchlaß;
Das achtzehend wart angefangen,
Doch noch nit vollendt mit verlangen.
Da ich meine gedichte fand
Alle geschriben mit eigner hand, 100
Die vier-und-dreißg bücher mit nam,
Darinnen summirt ich zusamm
Erstlich die meistergsang fürwar
Der von mir sind gedichtet bar
In disen drey-und-fünfftzig jarn, 105
Darinn vil schrifftlicher bar warn
Auß alt- und newem testament,
Auß den büchern Mose vollendt,
Auß den figurn, prophetn und gsetz,
Richter, könig-büchern, zu-letz 110
Den gantzen psalter in der sumb,
Der bücher Machabeorum,
Und der sprüch Salomo hernach,
Und auß dem buch Jesus Syrach,
Epistl und evangelion, 115
Auch auß apocalypsis schon,
Auß den ich allen vil gedicht
In meistergsang hab zugericht
Mit kurtzer glos und ir außlegung
Auß guter christlicher bewegung, 120

---

91 *inventirt:* inventieren: Bestandsaufnahme machen.
101 *mit nam:* nämlich, namentlich.
104 *bar:* offenbar, sichtbar.
106 *schrifftlicher:* aus der Heiligen Schrift.
109 *figurn:* Gleichnisse aus dem Alten Testament, auf Christus bezüglich.
119 *glos:* Glosse, Übersetzung, Erklärung.
120 *bewegung:* Erwägung.

Einfeltig nach meinem verstand,
Mit gottes hülff nun weit erkandt
In teutschem land, bey jung und alten,
Darmit vil singschul werdn gehalten
Zu gottes rhum, lob, preis und glori;   125
Auch vil warhafft weltlich histori,
Darinn das lob der gutn erhaben
Und der argen lob tief vergraben,
Auß den gschichtschreibern zugericht;
Auch mancherley artlich gedicht,   130
Auß den weisen philosophi,
Darinn ist angezeiget, wie
Hoch die tugend zu loben sey
Bey menschling gschlecht, und auch darbey,
Wie schendlich sein die groben laster,   135
Alles unglückes ein ziehpflaster;
Dergleich vil poetischer fabel,
Welche samb in einer parabel
Mit verborgen, verblümten worten
Künstlich vermelden an den orten,   140
Wie gar hochlöblich sey die tugend
Beide bey alter und der jugend,
Dergleich, wie laster sind so schendlich;
Darnach sind auch begriffen endlich
Schulkünst, straffler, loica, renck,   145
Auch mancherley kurtzweilig schwenck,
Zu frölichkeit den trawring kommen,
Doch alle unzucht außgenommen.
In einer summa diser bar
Der meistergesang aller war   150
Eben gleich zwey-und-viertzig-hundert
Und fünff-und-sibntzig außgesundert,

---

122 *erkandt:* bekannt, berühmt.
127 *erhaben:* erhoben.
138 *samb:* sam: so, so wie, eben wie.
145 *Schulkünst:* Übungsstücke, wie sie Anfänger vortragen. – *straffler:* Schelt-
lieder. – *loica:* Logika.

Waren gsetzt in zwey-hundert schönen
Und fünff-und-sibntzig meisterthönen;
Darunter warn dreyzehen mein.   155
Sollichs war alls geschriben ein
In der sechtzeh gsangbücher sumb.
Die achtzehen sprüchbücher numb
Ich auch her in die hende mein;
Drinn durchsucht die gedicht allein,   160
Da fund ich frölicher comedi
Und dergleich trawriger tragedi,
Auch kurtzweiliger spil gesundert,
Gerade acht und auch zwey-hundert,
Der man den meisten teil auch hat   165
Gespilt in Nürenberg, der statt,
Auch andern stätten, ferr und weit,
Nach den man schicket meiner zeit.
Nach dem fand ich darinnen frey
Geistlich und weltlich mancherley   170
Gesprech und sprüch von lob der tugend
Und guten sitten für die jugend,
Auch höflicher sprüch mancherley
Auß der verblümtn poeterey,
Und auch von manchen weisen heiden,   175
Von der natur artlich, bescheiden,
Auch mancherley fabel und schwenck,
Lächerlich possen, seltzam renck,
Doch nit zu grob noch unverschemt,
Darob man freud und kurtzweil nemt,   180
Und doch das gut darbey versteh
Und alles argen müssig geh.
Diser gedicht ich allersand
Tausend-und-siben-hundert fand;

---

158 *numb:* nahm.
174 *verblümtn poeterey:* beschönigenden, hohen Poesie.
176 *artlich:* gewandt. – *bescheiden:* verständlich, klug.
180 *nemt:* nimmt.

Doch ungefehrlich ist die zal. 185
Auß den gedichten uberal
Vor drey bücher außgangen sind
Im druck, darinnen man der find
Acht-und-achtzg stück und siben-hundert,
Darob sich mannich mann verwundert, 190
Auch ist das vierdt buch pstelt zu drucken,
Helt in bey fünfthalb hundert stucken,
Auch sprüchweiß all meiner gedicht
Wird in kurz kommen an das liecht.
Auch fand ich in mein büchern gschriben 195
Artlicher dialogos siben,
Doch ungereimet in der pros,
Ganz deutlich frey, on alle glos.
Nach dem fand ich auch in der meng
Psalmen und ander kirchengsäng, 200
Auch verendert geistliche lieder,
Auch gassenhawer hin und wider,
Auch lieder von krieges-geschrey,
Auch etlich bullieder darbey,
Der allersammen ich vernum 205
Drey-und-sibentzig in der sumb,
In thönen schlecht und gar gemein;
Der thön sechtzehn mein eigen sein.
Als ich mein werck het inventirt,
Mit grossem fleiß zusamm summirt 210
Auß den sprüchbüchern umb und umb,
Da kam mir summa summarum
Von gsang und sprüchen ausgesundert
Sechs-tausent darzu ain-hundert

---

185 *ungefehrlich:* ungefähr.
187 *drey bücher:* Der 1. Band erschien 1558 bei Christoph Heußler in Nürn-
   berg, der 2. 1560, der 3. 1561, der 4. 1578, der 5. 1579. 1612–16 kam in
   Kempten eine andere Ausgabe heraus.
202 *gassenhawer:* volkstümliche Lieder.
204 *bullieder:* Liebeslieder.
205 *ich vernum:* ich nahm wahr.

Und sibenzig stüeck an der zal   215
Auß allen büchern uberall
On der, so waren kurtz und klein,
Der ich nit het geschriben ein.
Aber hie anzeigte gedicht
Die sind alle dahin gericht,   220
So vil mir außweist mein memori,
Zu gottes preis, rhum, lob und glori,
Und daß sein wort werd außgebreit
Bey christlicher gmein ferr und weit,
Gesangweiß und gereimten worten,   225
Und im Teutschland an allen orten
Bey alter und auch bey der jugend
Das lob aller sitten und tugend
Werd hoch gepreiset und perhümt,
Dargegen veracht und verdümt   230
Die schendlichen und groben laster,
Die alls ubels sind ein ziehpflaster,
Wie mir das auch nach meinem leben
Mein gedicht werden zeugnuß geben;
Wann die gantz sumb meiner gedicht   235
Hab ich zu eim bschluß zugericht
Im leczten alter, als ich war
Gleich alt ain-und-sibentzig jar,
Sechs monat, weniger fünf tag,
Darbey man wol abnemen mag,   240
Daß der spruch von gedichten mein
Gar wol mag mein valete sein,
Weil mich das alter hart vexirt,
Mich druckt, beschwert und carcerirt,
Daß ich zu rhu mich billich setz   245
Und meine gedicht laß zu-letz

---

225 *und gereimten:* und mit gereimten.
230 *verdümt:* vertüemen: verdammen, verurteilen.
235 *Wann:* denn.
240–242 *Darbey ... valete sein:* Hans Sachs lebte und dichtete noch neun
    Jahre.

Dem guthertzig gemeinen mann,
Mit gotts hülff sich besser darvon.
Gott sey lob, der mir sendt herab
So miltiglich die schönen gab   250
Als einem ungelehrten mann,
Der weder latein noch griechisch kan,
Das mein gedicht grün, blü und wachs
Und vil frücht bring, das wünscht Hans Sachs.

Anno salutis 1567, am 1 tage Januarj.

Ein Faßnacht Spil mit 3 Person:

Das heiß Eysen.

Die Fraw tritt einn vnd spricht:
Mein Man hab ich gehabt vier jar,
Der mir von erst viel lieber war.
Dieselb mein Lieb ist gar erloschen
Vnd hat im hertzen mir außdroschen.
West geren, wes die schulde wer.   5
Dort geht mein alte Gfatter her,
Die ist sehr alt vnd weiß gar viel.
Dieselbigen ich fragen wil,
Was meiner vngunst vrsach sey,
Das ich werd der anfechtung frey.   10

Die alt Gefatterin spricht:
Was redst so heimlich wider dich?

Die Fraw spricht:
Mein liebe Gfattr, es kümmert mich:
Mich dunckt, mein Mann halt nit sein Eh,

253 *gedicht:* Schriftwerk, Dichtung.

Sonder mit andern Frawn vmbgeh.
Des bit ich von euch einen rath.   15

Die alt Gefatter spricht:
Gfatter, das ist ein schwere that.

Die Fraw spricht:
Da rath zu, wie ich das erfar!

Die Gefatter spricht:
Ich weiß nicht, mir felt ein fürwar,
Wie man vor jaren gwonheit het,
Wenn man ein Mensch was zeyhen thet,   20
Wenn es sein vnschuld wolt beweysen,
So must es tragn ein glüend Eyssen
Auff bloser Hand auß einem kreiß,
Dem vnschulding war es nicht heyß
Vnd jn auff blosser Hand nit prent,   25
Darbey sein vnschuld würd erkent.
Darumb hab fleiß vnd richt auch an,
Das diß heiß Eyssen trag dein Man!
Schaw, daß du jn könst vberreden!

Die Fraw spricht:
Das wil ich wol thun zwischn vns beden.   30
Kan wain vnd seufftzen durch mein list,
Wenns mir schon vmb das hertz nicht ist,
Das er muß als thun, was ich wil.

Die Gefatter spricht:
So komb dem nach vnd schweig sonst still,
Darmit du fahest deinen Lappen   35
Vnd jm anstreiffst die Narrenkappen!
Ytzund geht gleich herein dein Man.
Ich wil hin gehn; fah mit jm an!

---

35 *Lappen:* Lap, Lappe: Laffe, Trottel.

Die alt Gefatter geht ab.
Die Fraw sitzt, hat den Kopff in der hend.
Der Man kompt vnd spricht:
Alte, wie sitzt du so betrübt?

Die Fraw spricht:
Mein Mann, wiß, das mich darzu übt   40
Ein anfechtung, welche ich hab,
Der mir kan niemandt helffen ab,
Mein hertzen lieber Man, wenn du!

Der Mann spricht:
Wenns an mir leyt, sag ich dir zu
Helffen, es sey wormit es wöll.   45

Die Fraw spricht:
So ich die warheit sagen söll,
So dunckt mich, lieber Mann, an dir,
Du helst dich nicht gar wol an mir,
Sonder bulest mit andern Frawen.

Der Mann spricht:
Thustu ein solches mir zu trawen?   50
Hastu dergleich gmerckt oder gsehen?

Die Fraw spricht:
Nein, auff mein warheit mag ich jehen.
Du abr bist mir vnfreuntlich gar,
Nicht lieblich, wie im ersten jar.
Derhalb mein lieb auch nimmet ab,   55
Das ich dich schier nicht mehr lieb hab.
Diß als ist deines Bulens schuld.

Der Mann spricht:
Mein liebes Weib, du hab gedult!
Die lieb im hertzen ligt verporgen!

40 *übt:* üeben: bewegen.
52 *jehen:* sagen.

Mhü vnd arbeit vnd teglichs sorgen   60
Thut viel schertz vnd schimpffens vertreiben.
Meinst drumb, ich bul mit andern weiben?
Des denck nur nit! ich bin zu frumb.

Die Fraw spricht:
Ich halt dich vor ein Bulr kurtzumb;
Sey denn sach, das du dich purgierst,   65
Der zicht von mir nicht ledig wirst.

Der Mann reckt 2 finger auff, spricht:
Ich wil ein herten Eyd dir schwern,
Das ich mein Eh nit thet versehrn
Mit andren schönen Frawen jung.

Die Fraw spricht:
Mein lieber Man, das ist nicht gnung.   70
Eid schwern ist leichtr, denn Ruben grabn.

Der Mann spricht:
Mein liebes Weib, was wilt denn habn?

Die Fraw spricht:
So trag du mir das heisse Eyssen!
Darmit thu dein vnschuld beweissen!

Der Mann spricht:
Ja, Fraw, das wil ich geren thon.   75
Geh! heiß die Gfattern vmbher gon,
Das sie das Eyssen leg ins Fewr!
Ich wil wagen die abenthewr
Vnd mich purgiren, weil ich leb,
Das mir die Gfatter zeugnus geb.   80

---

61 *schimpffens:* schimpf: Spiel, Scherz, Kurzweil.
65 *Sey denn ... purgierst:* Es sei denn, daß du dich reinigst, reinwäschst.
66 *zicht:* Bezichtigung.
68 *versehrn:* verletzen.

Die Fraw geht auß. Er spricht:
Mein Fraw die treibt gar seltzam mucken
Vnd zepfft mich an mit diesen stucken,
Das ich sol tragen das heiß Eyssen,
Mein vnschuld hie mit zu beweissen,
Das ich nie brochen hab mein Eh.   85
Es thut mir heimlich auff sie weh.
Ich hab sie nie bekümmert mit,
Ob sie jr Eh halt oder nit.
Nun ich wil jr ein schalckheit thon,
In Ermel stecken diesen Spon.   90
Wenn ich das Eyssn sol tragn dermassen,
So wil ich den Span heimlich lassen
Herfür hoschen auff meine Hendt,
Das ich vom Eyssen bleib vnprent.
Mein frömbkeit ich beweissen thu.   95
Da kommen sie gleich alle zwu.

*Die alt tregt das heiß Eyssen in eyner Zangen
vnd spricht:*
Glück zu, Gfatter! das Eyssn ist heiß.
Macht nur da einen weyten Kreiß!
Da legt jms Eyssen in die mit!
Tragt jrs herauß vnd prent euch nit,   100
So ist ewer vnschuld bewert,
Wie denn mein Gfattern hat begert.

Der Mann spricht:
Nimb hin! da mach ich einen Kreiß.
Legt mir das glüend Eyssen heiß
Daher in Kreiß auff diesen Stul!   105
Vnd ist es sach, vnd das ich Bul,
Das mir das heyß Eyssen als denn
Mein rechte Hand zu Kolen prenn.

---

81 *treibt ... mucken:* hat ... Launen.
82 *zepfft mich an:* verdächtigt mich.
89 *schalckheit:* Bosheit, Arglist.
106 *Vnd ist ... das:* und ist es so, daß.

*Der Man nimbt das Eysen auff die Hand, tregets
auß dem Kreiß vnd spricht:*
Mein Weib, nun bist vergwiest fort hin,
Das ich der zicht vnschuldig bin,   110
Das ich mein Eh hab brochen nie,
Weil ich das glüend Eyssen hie
Getragen hab gantz vngebrent.

Das Weib spricht:
Ey, las mich vor schawen dein Hendt!

Der Mann spricht:
Se hin! Da schaw mein rechte hand,   115
Das sie ist glat vnd vnuerprant!

Die Fraw schawt die hand, spricht:
Nun, du hast recht; das merck ich eben.
Man muß dir dein Kü wider geben.

Der Mann spricht:
Du must mir vnschuldigen Man
Vor meinr gfattern ein widrspruch than.   120

Die Fraw spricht:
Nun, du bist fromb, vnd schweig nur stil!
Nichts mehr ich dir zusachen wil.

Der Mann spricht:
Weil du nun gnug hast an der prob,
Wil ich nun auch probieren, ob
Du dein Eh biß her habst nit prochen   125
Von anfang, weilt mir warst versprochen.
Mein Gfattern, thut darzu ewr stewr!
Legt das Eyssn wider in das Fewr,

---

109 *vergwiest:* vergwissen: vergewissern.
116 *vnuerprant:* unverbrannt.
118 *Man . . . geben:* d. h., du bist unschuldig.
120 *widrspruch:* Widerruf.

Das es erfewr vnd glüend wer!
Darnach so bringt mirs wider her, 130
Auff das es auch mein Fraw trag mir,
Darmit jr frömbkeyt ich probier!

Die Gefatter spricht:
Ey, was wolt jr ewr Frawen zeyhen?
Thut sie des heissen Eyssens freyen!

Der Mann spricht:
Ach, liebe Gfatter, was ziech sie mich? 135

Die Fraw spricht:
Mein hertz lieber Mann, wiß, das ich
Das hab auß lauter einfalt than!

Der Mann spricht:
Gfatter, legt bald das Eyssen an!
Darfür hilfft weder fleh noch bit.

Die Gefatterin geht hin mit dem Eyssen.
Die Fraw spricht:
Mein lieber Mann, weistu dann nit, 140
Ich hab dich lieb im hertzen grundt.

Der Mann spricht:
Dein That laut anders, denn dein mundt,
Da ich das heiß Eyssen must tragen.

Die Fraw spricht:
Ach, mein Mann, thu nicht weyter fragen,
Sonder mir glauben vnd vertrawen 145
Als einer auß den frömbsten Frawen!
Laß mich das heiß Eyssen nicht tragen!

---

129 *erfewr:* erfiuren: entflammen, erglühen.

Der Mann spricht:
Was darffst dich lang weren vnd klagen?
Bist vnschuldig, so ists schon fried,
So prent dich das heiß Eyssen nit   150
Vnd hast probiert dein Weiblich Ehr.
Derhalb schweig nur vnd bitt nicht mehr!

*Die gfatter bringt das glüent eysen, legts auff den
stul im kreiß, spricht:*
Gfattern, da liegt das glüend Eyssen,
Ewer vnschuld mit zu beweisen.

Der Mann spricht:
Nun geh zum Eyssen! greiff es an!   155

Die Fraw spricht:
Ich bitt dich, mein hertzlieber Man,
Mein schuld wil ich dir hie verjehen,
Das ich mich verd hab vbersehen
Heimlich mit vnserem Caplan.
Dasselbig wölstu mir nach lan,   160
Das michs Eyssn nit drumb prennen thu.

Der Mann spricht:
Ja, ja, da schlag der Teuffel zu!
Hastu selber brochen dein Eh?
Nimb flucks das Eyssen hin vnd geh!
Wil dir gleich den Pfaffen nach geben.   165

Die Fraw spricht:
Mein lieber Mann, ich bit darneben,
Wölst mein in aller trew gedencken,
Zum Pfaffn mir noch zwen Männer schencken,
Mit den ich mein Eh brochen hab.

---

157 *verjehen:* sagen, bekennen.
158 *verd:* voriges Jahr, früher.

Der Mann spricht:
Nötten nam dein lieb gen mir ab, 170
Weil du jr drey hast liebr, dann mich?
Ey schem des in dein hertze dich,
Der du wolst sein so keusch vnd frumb
Vnd triebst mich mit dem Eyssen vmb!
Doch wil ich dirs all drey nach lon. 175
Nimb flucks das Eyssn vnd komb daruon!

Die Fraw hebt die hend auff, spricht:
Mein Mann, ich hab ye noch ein bitt:
Ich hab ein Schatz, den weistu nit.
Vier gulden Zwölffer, die ich doch hart
Hab selb an meinem Maul erspart, 180
Den Schatz wil ich auch geben dir.
Las mir noch nach der Männer vir!
Als denn wil ichs heiß Eyssen tragen.

Der Mann spricht:
Was sol ich von dem Schlepsack sagen?
Pfuy, schem dich vor der Gfattern dein! 185
Hastu denn Bulschafft hinder mein
Heimlich mit so viel Mannen triebn?

Die Fraw spricht:
Wie thust? nun sind jr an dich ye nur siebn!

Der Mann spricht:
Es soltn jr leicht ein Dutzet sein.
Nun ich wil auch nichts reden drein 190
Vmb diese Sieben vnd on mich,
Solt mit dem Eyssn purgieren dich
Auff Erden sonst vor alle Man.

170 *Nötten:* von nöten: notgedrungen.
174 *triebst mich ... vmb:* vmbtrieben: einen zum besten haben.
176 *daruon:* davon.
179 *Zwölffer:* 12 Kreuzer.
184 *Schlepsack:* Dirne.

Die Fraw spricht:
Ja lieber Man, das wil ich than.
Yedoch in dieser Männer summen   195
Sind die jungen Gselln außgenummen.
Vor die das Eyssen ich nicht trag.

Der Mann spricht:
Schweig vnd kein wort darwider sag!
Flucks nimb das Eyssn, weil es ist heiß,
Vnd trag es sittlich auß dem kreiß,   200
Das ich darbey mög nemen ab,
Was vor ein frommes Weib ich hab!

Die Fraw spricht:
O Gfatter, tragt das Eyssn vor mich!

Die Gfatter spricht:
O es taug nit; darzu würd ich
Am Eysen mein Hend prennen zwar,   205
Das mir würd abgehn haut vnd har.
Ich war vor jaren auch nicht rein.

Der Mann spricht:
Flucks nimb das Eyssn vnd trags allein,
Du zunichtiger Pubensack!
Oder ich leg dir auff dein Nack   210
Mein Faust, das dir das liecht erlischt.

Die Fraw spricht:
Das Eyssen ist heiß, das es zischt,
Nun weil es mag nicht anderst sein,
So ergieb ich mich dultig drein.

*Die Fraw hebt das Eissen auff, wil gehn vnd thut
ein lauten schrey, lest das Eyssen fallen, spricht:*
Auwe, Auwe der meinen Hend!   215

200 *sittlich:* der Sitte gemäß, langsam.
209 *zunichtiger Pubensack:* nichtsnutzige Dirne.

Wie übel hat michs Eyssen prent
Von meiner Hende har vnd hawt!

Der Mann spricht:
Schaw, du Vnflat! hast mir nicht trawt,
Vnd so mans bey dem Liecht besicht,
Bist selbs an hawt vnd Har entwicht.
Ich dörfft dir wol dein hawt vol schlagen.   220

Die Fraw spricht:
So wolt ichs meinen Brüdern klagen.

Die Gfatter spricht:
O Gfatter, trollt euch vnd schweigt still!
Jr habt hie ein verloren spiel.
Jr habt ein Handel, ist Mistfaul.   225
Darumb nembt nur Süßholtz ins maul!
Ziecht auff gut Saiten widerumb,
Auff das nicht heint sant Kolbman kumb
Vnd euch vmb ewer vnzucht straff.

Die Fraw get auß.
Der Man spricht:
Mein Fraw meint, ich wer gar ein Schaff,   230
Stellt sich so fromb vnd keusch (versteht!),
Sams nie kein Wasser trübet het,
Wolt mich nur treibn in ein Bockshorn,
Biß ich doch auch bin innen worn
Jrer frömbkeyt, drein sie sich bracht   235
Mit jrem eyffern Tag vnd Nacht,
Des sie mit Ehrn wol het geschwiegen.

Die Gefatter spricht:
Mein Gfatter, lasts best bey euch liegen!

220 *entwicht:* nichtsnutzig.
226 *nembt ... maul:* gebt gute Worte.
228 *sant Kolbman:* der Prügel.
238 *lasts ... liegen:* laßt es hierbei bewenden.

Wölt meinr Gfattern vergeben das!
Wer ist der, der sich nie vergaß?   240
Kompt! wir wöllen dran giessn ein Wein!

Der Mann spricht:
Nun, es sol jr verziehen sein!
Mein Fraw bricht Häfn, so brich ich Krüg.
Vnd wo ich anderst redt, ich lüg.
Doch, Gfatter, wenn jr bürg wolt werden,   245
Dieweil mein Weib lebet auff Erden,
Das sie solches gar nimmer thu.

Die Gefatter spricht:
Ey ja, glück zu, Gfatter! glück zu!
Ich wil euch gleich das glait heimgeben.
Vnd wöllen heint in freuden leben   250
Vnd auff ein newes Hochzeyt halten
Vnd gar vrlaub geben der alten.
Das kein vnrat weyter drauß wachs
Durch das heiß Eyssen, wünscht Hans Sachs.

Die 3 Personen in das Spiel:

Der Pawr	1
Die Pewrin	2
Die Gefatterin	3

Anno Salutis 1551. Jar, Am 16. Tag Nouembris.

Faßnacht spiel mit 3 Personen:

Der farendt Schuler im Paradeiß.

Die Pewrin gehet ein vnnd spricht:
Ach wie manchen seufftzen ich senck,
Wenn ich vergangner zeit gedenck,

Da noch Lebet mein erster Man,
Den ich ye lenger lieb gewan,
Dergleich er mich auch wiederumb, 5
Wann er war einfeltig vnd frumb.
Mit jm ist all mein frewdt gestorben,
Wie wol mich hat ein andr erworben.
Der ist meimb ersten gar vngleich,
Er ist karg vnd wil werden Reich, 10
Er kratzt vnd spardt zusam das gut,
Hab bey jm weder frewdt noch mut.
Gott gnad noch meinem Man, dem alten,
Der mich viel freundtlicher thet halten;
Kündt ich jm etwas guts noch than, 15
Ich wolt mich halt nit saumen dran.

Der farendt Schuler gehet ein vnnd spricht:
Ach liebe Mutter, ich kumb herein,
Bit, laß mich dir befolhen sein,
Mit deiner milten handt vnd gab;
Wann ich gar viel der künste hab, 20
Die ich in Büchern hab gelesen.
Ich bin in Venus berg gewesen,
Da hab ich gsehen manchen Buler;
Wiß, ich bin ein farender Schuler
Vnd fahr im Lande her vnd hin. 25
Von Pariß ich erst kummen bin
Itzundt etwa vor dreien tagen.

Die Pewrin spricht:
Secht, lieber Herr, was hör ich sagen,
Kumbt jr her auß dem Paradeiß?
Ein ding ich fragen muß mit fleiß, 30
Habt jr mein Man nicht drin gesehen?
Der ist gestorben in der nehen,
Doch vast vor einem gantzen Jar,

---

32 *in der nehen:* in der nahen Zeit, kürzlich.

Der so frumb vnd einfeltig war;
Ich hoff je, er sey drein gefaren.   35

Der farendt schuler spricht:
Der Seel so viel darinnen waren;
Mein Fraw, sagt, was hat ewer Man
Für kleider mit jm gfürdt daruan?
Ob ich jn darbey möcht erkennen.

Die Pewrin spricht:
Die kan ich euch gar baldt genennen: 40
Er het ach auff ein plaben hut
Vnd ein leilach, zwar nit vast gut,
Darmit hat man zum grab besteht.
Kein ander kleidung er sunst het,
Wenn ich die warheit sagen sol.   45

Farendt schuler spricht:
O liebe Fraw, ich kenn jn wol,
Er geht dort vmb ohn hossn vnd schuch,
Vnd hat ahn weder hem noch bruch,
Sonder wie man jn legt ins grab;
Er hat auff seinen hut blietschplob   50
Vnd thut das leilach vmb sich hüllen.
Wenn ander brassen vnd sich füllen,
So hat er gar kein pfenning nicht.
Als denn er so sehnlich zusicht
Vnd muß nur des Almusen leben,   55
Was jm die andern Seelen geben;
So ellendt thut er dort vmbgan.

34 *einfeltig:* einfach, schlicht.
38 *daruan:* davon.
41 *plaben:* bla, blab: blau.
42 *leilach:* Leintuch.
43 *besteht:* (ihn) bestattet.
48 *bruch:* kurze Hose.
50 *blietschplob:* blitzblau.

Die Pewrin spricht:
Ach, bist so ellendt dort mein Man,
Hast nit ein pfenning in ein badt?
Nun ists mir leidt, auch jmmer schadt,   60
Das du solt solche armut leiden.
Ach, lieber Herr, thut mich bescheiden,
Wert jr wider ins Paradeiß?

Der farendt Schuler spricht:
Morgen mach ich mich auff die reiß,
Vnd kumb hienein in viertze tagen.   65

Die Pewrin spricht:
Ach, wolt jr etwas mit euch tragen,
Ins Paradeis bringen meim Man?

Der farendt Schuler spricht:
Ja, Fraw, ich wil es geren than,
Doch was jr thon welt, thut mit eil.

Die Pewrin spricht:
Mein Herr, verziecht ein kleine weil,   70
Zu sammen wil das suchen ich.

Sie geht auß.
Der farendt Schuler redt mit jm selb vnnd spricht:
Das ist ein recht einfeltig Viech
Vnd ist gleich eben recht für mich,
Wenn sie viel gelts vnd kleider brecht,
Das wer für mich als gut vnd recht,   75
Wolt mich baldt mit trollen hienauß,
Eh wann der Pawer kemb ins Hauß.
Er wirt mir sunst mein sach verderben;
Ich hoff, ich wöl den alten erben.

63 *Wert ... Paradeiß?*: ergänze: reisen.
79 *erben:* beerben.

Die Pewrin bringet jhm ein pürlein vnd spricht:
Mein Herr, nun seit ein guter pot,   80
Nemet hin die zwölff gülden rot,
Die ich lang hab gegraben ein
Da aussen in dem Kuestal mein,
Vnd nemet auch das pürlein ahn
Vnd bringt das alles meinem Man   85
In jene Welt ins Paradeiß,
Darinn er finden wirt mit fleiß
Zu einem rock ein plobes tuch,
Hossen, joppen, hemb vnd bruch,
Sein taschen, stiffl, ein langes messer.   90
Sagt jm, zum nechsten wers noch besser,
Ich wil jn noch mit Gelt nit lassen.
Mein Herr, fürdert euch auff der strassen,
Das er baldt auß der armut kumb,
Er ist je einfeltig vnd frumb,   95
Ist noch der liebst vnter den zweien.

Der farendt schuler nimmet das bürlein vnnd spricht:
O wie wol wirt ich jn erfrewen,
Das er mit andern am Feyrtag
Etwan ein vrten trincken mag,
Auch spiln vnd ander kürtzweil treiben.   100

Die Pewrin spricht:
Mein Herr, wie lang wert jr auß bleiben,
Das jr mir bringt ein botschafft wider?

Der farendt Schuler spricht:
O ich kumb so baldt nicht herwider,
Wann der weg ist gar hardt vnd weit.

vor 80 *pürlein:* ›Bürdelein‹, Bündel.
80 *pot:* Bote.
92 *noch:* auch fernerhin.
99 *vrten:* vrte, ürte: Zeche, Zechgelage.

Die Pewrin spricht:
Ja so möcht jm in mitler Zeit   105
Etwan wiederumb gelts gebrechen
Zu baden, spielen vnd Wein zechen,
Bringt jm auch die alt behmisch groschen.
Wenn wir nun haben außgetroschen,
Kan ich baldt wider gelt abstelen,   110
Vnd das vor meinem Man verhelen,
Das ichs in dem Küstal ein grab
Wie ich auch diß behalten hab.
Seht, habt euch den Taler zu lahn
Vnd grüst mir fleissig meinen Man.   115

Der farendt schuler gehet ab.
Die Pewrin hebet ahn zu singen laut:
Pawren Meidlein, laß dirs wolgefallen.

Der Pawr kummet vnnd spricht:
Alta, wie das so frölich bist,
Sag mir baldt, was die vrsach ist?

Die Pewrin spricht:
Ach lieber Man, frew dich mit mir,
Groß freudt hab ich zu sagen dir.   120

Der Pawer spricht:
Wer hat das Kalb ins aug geschlagen?

Die Pewrin spricht:
Ach sol ich nit von wunder sagen?
Ein farendt Schuler mir zu frummen
Ist auß dem Paradeiß herkummen,
Der hat mein alten Man drin gsehen,   125
Vnd thut auff seinen Aidt verjehen,

---

114 *lahn:* Lohn, Belohnung.
121 *Wer ... geschlagen?:* Woher der Schmerz? ironisch: Woher die Freude?
126 *verjehen:* bekennen.

Wie er leidt so grosse armut,
Hab nichts den seinen ploben hut
Vnd das leilach in jener Welt,
Weder rock, hosen oder gelt.   130
Das glaub ich wol, das er nichts hab,
Denn wie man jn legt in das grab.

Der Pawr spricht:
Wolst nicht etwas schicken deim Man?

Die Pewrin spricht:
O lieber Man, ich habs schon than,
Jm geschickt vnser blabes tuch,   135
Hosen, joppen, hemb, stiffl vnd bruch,
Auch für ein gülden kleines gelt,
Das er jms brecht in jene Welt.

Der Pawr spricht:
Ey, du hast der Sach recht gethan.
Wo ist hienauß zogen der Man,   140
Den du die ding hast tragen lassen?

Die Pewrin spricht:
Er zog hienauß die vntern strassen,
Es tregt der Schuler hoch erfarn
An seinem hals ein gelbes garn
Vnd das pürlein auff seinem rück.   145

Der Pawr spricht:
Ey nun walt dein als vngelück,
Du hast jm zu weng geltes geben,
Er kan nit lang wol daruon leben.
Geh, heiß mirs Roß satteln bey zeiten,
Ich wil jm gehn eilendt nach reiten,   150
Jm noch ein zehen gülden bringen.

144 *garn:* Garn, Netz, Tuch.

Die Pewrin spricht:
Mein Mann, hab danck mit diesen dingen,
Das du meimb altn bist günstig noch!
Wils Gott, ich wils verdienen doch,
Dir auch nach schicken meinen schetz.   155

Der Pawr spricht:
Was darff es viel vhnnütz geschwetz?
Geh, heiß mirn Knecht satteln das Roß,
Eh dann der frembt kum an das moß.

Die Pewrin gehet nauß.
Der Pawr spricht zu jhm selb:
Ach, Herr Gott, wie hab ich ein Weib,
Die ist an Seel, vernunfft vnd leib   160
Ein Dildap, Stockfisch, halber Nar,
Jrs gleich ist nit in vnser Pfarr,
Die sich lest vber reden leider,
Vnd schickt jrem Man gelt vnd kleider,
Der vor eim Jar gestorben ist,   165
Durch des farenden Schulers list.
Ich wil nach reitn, thu ich jn erjagen,
So wil ich jm die haudt vol schlagen,
Jn niderwerffen auff dem feldt,
Jm wider nemen Kleidr vnd Gelt,   170
Darmit wil ich denn heimwartz kern
Vnd mein Weib wol mit feusten bern,
Des ploben geben vmb die augen,
Das sie jr thorheit nit kün laugen.
Ach, ich bin halt mit jr verdorben!   175
Ach, das ich hab vmb sie geworben,

---

155 *schetz:* Schatz, Geld.
158 *moß:* Moor.
161 *Dildap:* läppischer Mensch.
172 *bern:* beren: schlagen.
173 *ploben:* blaue Flecke.

Das muß mich rewen all mein tag,
Ich wolt, sie het Sanct Vrbans blag.

Die Pewrin schreidt daussen:
Sitz auff, das Roß ist schon bereit.
Fahr hin, vnd das dich Gott beleidt!   180

Sie gehen beyde ab.
Der Farendt schuler kummet mit dem pürlein
vnnd spricht:
Wol hat gewölt das glück mir heudt,
Mir ist geratn ein gute beudt,
Das ichs den Winter kaum verzehr.
Het ich der einfelting Pewrin mehr,
Die mich schickt in das Paradeiß!   185
Wehr schadt, das sie all weren weiß!
Botz angst, ich sie dort ein von weiten
Auff eim Roß mir eilendt nach reiten.
Ists nicht der Pawr, so ists ein blag,
Das er mirs dinglich widr abjag.   190
Ich wil das pürlein hie verstecken
Ein weil in diese doren hecken,
Nun kan er je mit seinem Roß
Nit zu mir reiten in das moß,
Er muß vor dem graben absteigen.   195
Ja er thuts gleich, nun wil ich schweigen,
Mein garn in busen schieben frey,
Auff das er mich nit kenn darbey,
Wil leinen mich an meinen stab,
Sam ich auff ein zu warten hab.   200

---

178 *Sanct Vrbans blag:* Veitstanz.
180 *beleidt:* beleiten: begleiten, führen.
187 *sie:* sehe.
189 *blag:* Mißgeschick.
190 *dinglich:* Gerät, Weißzeug.
199 *leinen:* lehnen.

Der Pawr kumbt gespordt vnnd spricht:
Glück zu, mein liebs Menlein, glück zu!
Hast nit ein sehen lauffen du,
Hat ein gelbs strenlein an dem hals
Vnd tregt auff seinem ruck nachmals
Ein kleines pürlein, das ist plab? 205

Der farendt schuler spricht:
Ja, erst ich ein gesehen hab
Der laufft ein vbers moß gehn Waldt,
Er ist zwar zu ereilen baldt,
Jetzt geht er hinter jener stauden
Mit blasen, schwitzen vnd mit schnauden, 210
Wann er tregt an dem pürlein schwer.

Der Pawr spricht:
Es ist bey meim Aydt eben der!
Mein liebs Menlein, schaw mir zum Roß,
So wil ich zu fuß vbers moß
Dem bößwicht nach eiln vnd jn blewen, 215
Das jn sein leben muß gerewen,
Er sol es keinem Pfaffen beichten.

Der farendt Schuler spricht:
Ich muß da warten auff ein gweichten,
Welcher kumbt nachher in der nehen.
Wil euch dieweil zum Roß wol sehen, 220
Biß das jr thut herwider lencken.

Der Pawer spricht:
So wil ich dir ein Creutzer schencken.
Hüt, das mirs Pferdt nit lauffet werd.

vor 201 *gespordt:* gespornt.
203 *strenlein:* stren, strene: Strähne.
208 *zwar:* wahrlich.
210 *schnauden:* schnaufen.
215 *blewen:* bleuen, schlagen.
218 *gweichten:* gweichter: Geweihter, Priester.
223 *lauffet werd:* ›laufend werde‹, davonläuft.

Der Pawer gehet ab.
Der farendt Schuler spricht:
Laufft hin, sorgt nur nicht vmb das Pfert,
Das jr ein schaden findet dran.   225
Das Roß wirt mir recht, lieber Man.
Wie frölich scheindt mir heudt das glück,
Volkummentlich in allem stück:
Die Fraw gibt mir rock, hossn vnd schw,
So gibt der Man das Roß darzw,   230
Das ich nit darff zu fussen gahn.
O das ist ein barmhertzig Man,
Der geht zu fuß, lest mir den Gaul,
Er weiß leicht, daß ich bin stüdtfaul.
O das der Pawr auch solcher weiß   235
Auch sturb vnd für ins Paradeiß,
So wolt ich gwiß von diesen dingen
Ein gute beut daruon auch bringen.
Doch wil ich nit lang mist da machen;
Wann kemb der Pawer zu den sachen,   240
So schlüg er mich im feld darnider
Vnd nem mir gelt vnd kleider wider;
Wil eilendt auff den Grama sitzen
Vnd in das Paradeiß nein schmitzen,
Ins wirtzhauß, da die Hüner braten,   245
Den Pawrn lassen im moß vmb waten.

Der farendt schuler nimmet sein pürlein, gehet ab.
Die Pewrin kummet vnd spricht:
Ach, wie ist mein Man so lang auß,
Das er nit wider kumbt zu Hauß.
Ich bsorg, er hab des wegs verfelt,
Das meimb alten nit werdt das gelt. —   250

229 *schw:* Schuhe.
231 *darff:* bedarf, brauche.
234 *stüdtfaul:* sehr faul.
243 *Grama:* Grauschimmel.

Botz mist, ich hör den Schulthes blassen.
Ich muß gehn baldt mein Sew auß lassen.

Die Pewrin gehet ab.
Der Pawr kumbt, sicht sich vmb vnd spricht:
Botz leichnam angst, wo ist mein Pferdt?
Ja, bin ich frumb vnd ehrenwerdt,
So hat mirs der bößwicht hin ghritten,   255
Er daucht mich sein dückischer sitten,
Hat auch das gelt vnd kleider hin.
Der gröst Narr ich auff erden bin,
Das ich traudt diesem Schalck vertrogen.
Schaw, dort kumbt auch mein Weib herzogen,   260
Ich darff jr wol vom Roß nit sagen,
Ich troet jr vor hart zu schlagen,
Das sie so einfeltig het eben
Dem lantzpscheissr das dinglich geben,
Vnd ich gab jm doch selb das Pferdt,   265
Viel grösser streich wer ich wol werdt,
Weil ich mich klüger dünck von sinnen.
Ich wil etwan ein außred finnen.

Die Pewrin kumbt vnnd spricht:
Schaw, bist zu fusen wider kummen,
Hat er das gelt von dir genummen?   270

Der Pawr spricht:
Jha, er klagt mir, der weg wer weit,
Auff das er kumb in kurtzer zeit
Ins Paradeiß, zu deinem Mann,
Das Pferd ich jm auch geben hann,
Das er geritten kumb hienein,   275
Bring auch das Pferdt dem Manne dein.
Mein Weib, hab ich nit recht gethan?

252 *Sew:* Sau.
259 *vertrogen:* betrügerischen.
262 *troet:* drohte.

Die Pewrin spricht:
Jha, du mein hertzen lieber Man,
Erst vermerck ich dein trewes hertz.
Ich sag dir das in keinem schertz.   280
Wolt Gott, das du auch stürbest morgen,
Das du nur sehest vnuerborgen,
Wie ich dir auch geleicher weiß
Nach schicken wolt ins Paradeiß,
Nichts ich so weit zu hinterst het,   285
Das ich dir nit zu schicken thet:
Gelt, kleider, Kelber, genß vnd Sew,
Das du erkennest auch mein trew,
Die ich dir hindn vnd foren trag.

Der Pawer spricht:
Mein Weib, nichts von den dingen sag,   290
Solch Geistlich ding sol heimlich sein.

Die Pewrin spricht:
Es weiß schon die gantz dorff gemein.

Der Pawr spricht:
Ey, wehr hats jn gesagt so baldt?

Die Pewrin spricht:
Ey, eh du nein riedts in den Waldt,
Hab ichs gesagt von trumb zu endt,   295
Was ich meim Mann hab hin gesendt
Ins Paradeiß, gar mit andacht.
Ich mein, sie haben mein gelacht
Vnd sich alle gefrewdt mit mir.

Der Pawr spricht:
Ey, das vergelt der Teuffel dir!   300
Sie haben all nur dein gespodt!

---

282 *vnuerborgen:* unverborgen.
295 *trumb:* drum, trum: Ende; ›von einem Ende zum anderen‹.

Wie hab ich ein Weib, lieber Gott! –
Geh nein, richt mir ein Millich ahn.

Die Pewrin spricht:
Jha, kumb hernach, mein lieber Man.

Die Pewrin gehet auß.
Der Pawr beschleust:
Der Man kan wol von vnglück sagen,   305
Der mit eim solchn Weib ist erschlagen,
Gantz ohn verstandt, vernunfft vnd sin,
Geht als ein dolles Viech dahin,
Baldt glaubich, doppisch vnd einfeltig,
Der muß er lign im zaum gewelltig,   310
Das sie nicht verwarloß sein gut.
Doch weil sie hat ein trewen muht,
Kan er sie dester baß gedulden,
Wan es kumbt auch gar offt zu schulden,
Das dem Mann auch entschlupfft ein fuß,   315
Das er ein federn lassen muß,
Etwan leit schaden durch betrug,
Das er auch ist nit weyß genug.
Denn zieh man schad gen schaden ab,
Darmit man friedt im Ehstandt hab   320
Vnd keyn vneinigkeyt auff wachs;
Das wünschet vns allen Hans Sachs.

Die Person inn das Spiel:

Der farendt Schuler	1
Der Pawr	2
Die Pewrin	3

Anno M. D. L. Jar. Am VIII. Tag October.

---

309 *Baldt glaubich:* baldglaubich: leichtgläubig. – *doppisch:* dolpisch: tölpel-
   haft, ungeschickt, dumm.
313 *dester baß gedulden:* um so besser erdulden, ertragen.

Ein fasnacht spiel mit 4 personen:

Der rosdieb zw Fünssing
mit den dollen diebischen pawern.

Die 3 pawren gent ein. Gangel Dötsch spricht:
Ir pawrn, wir sint von der dorff gmein
Als die alten erwelt allein,
Zw peratschlagn vnd zw pedencken,
Wen wir doch sollen lassen hencken
Den dieb, der ligt in vnserm thüern,   5
Von dem wir lang peschedigt wüern,
Der mir mein grabe merhe hat gstoln.

Steffl Löll spricht:
Nit lang wir drob dag laisten soln;
Pesser wer, wir hettn den rosdieb ghangen,
E den wir in haben gefangen,   10
So het wir im nit düerff zessen geben.

Liendl Fricz:
Steffl Löll, pocz dreck, dw nembst mirs eben
Aus mawl, ich wolt, das er schon hing,
E vil vnkost üeber in ging;
Der dieb ist kaum drey haller wert.   15

Gangl Dötsch:
Drümb rat ich darzw hewr als vert,
Das wir in auf den montag hencken.

---

4 *Wen:* weil.
5 *thüern:* Turm, Gefängnis.
7 *grabe merhe:* graue Mähre, Stute.
8 *dag laisten:* tag leisten: verhandeln.
11 *düerff:* dürfen: brauchen, nötig haben.
15 *haller:* Heller.
16 *hewr als vert:* ›heuer wie früher‹; jahraus, jahrein; immer.

Steffl Löll:
Ir nachtpawrn, thüet eüch pas pedencken,
Mein koren ackr am galgen leit.
Solt wir in hencken zu der zeit,   20
So würn mir tlewt ins koren sten
Zw sehen, wie man hencket den,
Vnd wuerd mirs draid zv schanden gmacht.

Liendl Fricz spricht:
Pey meim aid! dran hab ich nit dacht,
Wan ich ie auch ain acker hab   25
Zwr dencken hant vnterm galgen rab,
Den ich von meim vater ererbet;
Der selb wüert mir ie auch verterbet,
Wen mir die lewt stünden darauf
Vnd ginten an den galgen nauff,   30
Wen man vnseren rosdieb hing.

Gangl Dötsch:
Ey, so wais ich kain pesser ding,
Den man den dieb hang iczund nit,
Sunder verziech pis nach dem schnit,
So das draid kumb vom veld hinein.   35

Steffl Löll:
Das wirt ein guete mainung sein,
Drey wochen ist ein kurze pit.

Liendl Fricz:
Ir nachtpaurn, es reimbt sich aber nit.
Solt der dieb noch drey wochen leben,
Wer wolt im die weil zfressen geben?   40

21 *tlewt:* die Leute.
23 *draid:* treid: Getreide.
26 *dencken:* tenk: links.
30 *ginten:* ginen: gähnen, den Mund aufsperren.
37 *pit:* Verzug.

Ir wist, die dieb die fressen ser.
Der dieb, pocz dreck, kost vns vor mer,
Den zehen crewzer die acht tag.

Gangl Dötsch:

Ir lieben nachtpawrn, drauff ich sag,
Wir wöllen dem dieb wol dargegen   45
Das fuetr ein wenig hoher legen
Vnd in nit füellen wie pis her,
Auf das er nit werd faist vnd schwer,
So wirt er dester leichter zhencken.

Steffl Löll:

Ir nachtpawrn, ich thw ains pedencken: 50
Wie wen wirn dieb ein weil liesn lawffen?
So dörft wir im nit zfressen kauffen,
Idoch also mit dem peschaid,
Das er vns schwüer ain herten aid,
Das er vbr 4 wochen det lencken   55
Gen Füensing her vnd lies sich hencken?
Die weil so hetten wir mit sitten
Vmb den galgen gar ein geschniten,
Vnd wern die ecker ler vnd glat.

Liendl Fricz:

Das ist der aller kluegest rat.   60
So künt wir vil vnkost ersparen
Vnd vnser ecker auch pewarn
Vnd hetten der weil zumb halsghricht
Zw vrteiln den diebes poswicht.
Mein Gangel Dötsch, was thustw sagen?   65

Gangl Dötsch:

Wir müesen vor den dieb drumb fragen,

---

42 *vor:* vorher.
57 *sitten:* site: Sitte, Brauch, Gewohnheit.
65 *thustw:* tust du.

Ob im sey dieser ratschlag eben.
Düet er sein willen darzv geben,
So laß wirn lawffen mitler zeit,
Ein ider sein getraid einschneit.   70
Steffel Löll, gehin, is dir lieb
Vnd hol aus dem thüeren den dieb,
Auf das wir da verhoren in;
Doch schaw, das er dir nit entrin.

Steffl Löll get ab.
Lindl Fricz spricht:
Schaw, Gangel Dötsch, der Steffel hat   75
Vns geben ein spicigen rat.

Gangl Dötsch:
Ich het warlich, mein Liendel Fricz,
Pey im nit gesuecht so vil wicz.

Lindl Fricz:
O dw, mein Gangel Dötsch, solt wissen,
Der Steffel ist verschmiczt vnd pschissen   80
Zv Füensing vür all andern pauern:
Er gab den rat zu der kirchmawren,
Das man sie solt mit laimen klauben.
Ich halt, wer der pürger (auf glauben!)
Din zw Münichen, in der Stat,   85
Er wer lengst kumen in den rat.

Steffl pringt den dieb an aim strick.
Gengl spricht:
Hör, Vel von Frissing, die dorff gmain hat
Also peschlossen in dem rat:
Sie woln dich iczund ledig lassen,
Das dw hin zihen müegst dein strassen   90

---

80 *pschissen:* schmutzig, schlau.
83 *laimen:* Lehm. – *klauben:* kleiben: befestigen, bestreichen.

Vier wochen lang pis nach dem schnit.
Doch dast lenger pleibst ausen nit,
Sunder kumbst wider vnd last dich hencken.
Darauf magstw dich kurz pedencken.

Steffl Löll:
Doch muestw schweren vns ein aid,   95
Das dw wölst kumen nach dem pschaid.

Die 3 pauren gent aus.
Der dieb ret mit im selb:
Nun mag ich auf mein warheit jehen,
Grösser narren hab ich nie gsehen.
Recht thüet man noch, das man die pauren
Zw Füensing nent di dollen lawren.   100
Sie hettn mich wol mit eren ghangen,
Weil ich vor hab zwo weich entpfangen.
Icz wollens mich gar ledig lassen.
Wil in wol schweren aller masen,
Weil die alten gesaget haben,   105
Senftr sey aidschwern den rüeben graben.
Kein aidschwern sol mir sein zv schwer;
Ich aber kumb nit wider her,
Mich pring den ein rab in seim kropff.
Wen ich köm, wer ich wol ein dropff,   110
Ich thet mich den ains nachz verheln
Ins dorff, in mer etwas zv steln.
Weil sie doll vnd ainfeltig sind,
So wil ich in mit listen schwind
Noch ainen possen reissen eben,   115
Das sie mir noch gelt darzw geben.

---

91 *schnit:* Schnitt, Ernte.
96 *kumen nach dem pschaid:* dem Befehl nachkommen.
100 *lawren:* lauer: Bösewicht, hinterhältiger Mensch.
102 *weich:* Weihe.
111 *verheln:* verbergen.

Die pawren dretten ein.
Gangl spricht:
Vel von Frissing, sag an mit macht,
Was hast dich in der sach pedacht?

Der rosdieb:
Ir lieben herrn der dorff gemein
Zw Fünssing, ich wil ghorsam sein   120
Vnd euch ain herten aid da schwern,
Nach dem schnit wider her zv kern
Gen Fünsing vnd mich lassen hencken.
Doch pit ich, wölt das pest pedencken,
Mit einr zerung pegaben mich,   125
Weil kain paren pfenning hab ich.
Sol ich widr steln vnd würt gefangen
Vnd an eim andern ort gehangen,
So künt ich ie nit wider kumen,
So hielt ir mich den füer kain frumen;   130
Den wüert mir üebel nach gesprochen.
Solt ich den die vier ganczen wochen
Peteln herumher in dem lant,
So wers euch Fünsingern ein schant,
Weil man euch kennet weit vnd preit.   135

Liendl Fricz:
Ja, lieben nachtparn, auf mein eit,
Solt vnser dieb petteln im lant,
Es wer dem ganczen dorff ein schant.
Wir wöln erhalten den gueten mon,
Es ist aim vmb ain crewczer zton,   140
Weil vnser pauren gleich sint dreissig.
Von den wil ichs einsameln fleissig,
Die weil so wil ichs leyen dar.
Da hastw dreissig crewczer par.
Heb auf zwen finger vnd thw schwern,   145

---

130 *frumen:* frum: tüchtig, brav, ehrbar.

In vier wochen wider zv kern,
Das man dich henck nach dieser zeit,
Wie solichs recht vnd vrtail geit.

Der roßdieb reckt zwen finger auf, spricht:
Das wil ich thun pey meinem aid
Vnd noch zv merer sicherhaid   150
So nemet hie aus meiner hand
Mein rotte kappen zv eim Pfand,
Das ich entlich wil kumen wider,
Das ir mich henckt, das merck ein ider.
Ich kumb, es sey tag oder nacht.   155

Gangl Dötsch:
Hör, Vel, noch ains hab wir pedacht:
Wo dw dich aber schalckheit römest
Vnd nach dem schnit nit wider kömest,
So würt man dich nit henckn allein,
Sunder dir würt die gancz dorff gmain   160
Paide oren lassen abschneiden,
Must auch darzw das hencken leiden.
Das sagen wir die vnferporgen.

Der rosdieb:
Ir lieben hern, ir dürft nit sorgen.
Maintr, das ich mein kappn dahinden las?   165
Ir lieben hern, vertrawt mir pas,
Ich wil e kumen, den ir maint.

Gangl spricht:
Nun sey wir der sach gar veraint.
Ge, lauff nur hin, glück zv! glück zw!
Zw rechter zeit kumb wider dw!   170

---

153 *entlich:* endgültig.
157 *schalckheit:* Arglist, Bosheit.

Der dieb lauft hin.
Lindl Fricz spricht:
Er düet mer, den wir habn pegert!
Die kapp ist wol 9 crewzer wert.
Die weil ich ainer pin der alten,
Wil ich des diebs kappen pehalten.
Was schacz, ob ichs ein weillen trag?   175
Idoch nur an dem feyertag.
Vnd wen der dieb herwider kumb,
Wil ich mit im marcken darumb.

Gangl spricht:
Wir wöln anzaigen der dorff gmain
Die handlung mit dem dieb allain.   180
O, es wirt in ser wol gefallen;
Ich glaub wol, das vnter in allen
Die aller gescheidesten acht
Die sach nit hettn also petracht.

Die pawren gent ab.
Der Dieb schleicht ein, dregt den plaben rock vnd
spricht:
Es hetten sorg die narraten thumen   185
Füensinger, ich würt nit widerkumen.
So pin ich doch so frumb vnd pider
Vnd kumb in nur zw pald herwider.
Ich hab mich heint ins dorff verholn
Gen Füensing vnd hab da gestoln   190
Dem Lindel Friczn sein alten pock,
Dem Steffel Lölln sein plaben rock.
Wie wirt morgn ein gschray vber mich!
Darnach thw nit ser fragen ich.
Ich wil mit nein gen Münichen lauffen,   195
Dis vnd mer gstolne war verkawffen

178 *marcken:* markten, handeln.
vor 185 *plaben:* blauen.
189 *verholn:* verborgen.

Am wochen marck, wie ichs hab gwant;
Die pawern habn ein guetes pfant
An meiner rot zotteten kappen,
Die las ich den Füensinger lappen, 200
Ich hol ir nit, pin so vermessen,
Vnd solten sie die schaben fressen,
Vnd wil die pauren als die narren
Nach dem schnit auf mich lassen harren.
Ich mues mich nur mit mawsen neren; 205
Ich thet kain ander hantwerck leren.
Ist vmb ain pöse stund zw thon;
Wais, das ich nit ertrincken kon;
Wan was zu tail sol wern den raben,
Wie wir ein altes sprichwort haben, 210
Das ertrinckt nit in wassers walgen,
Es ge den hoch ueber den galgen.

Der dieb get ab.
Lindl Fricz get ein mit Gangl vnd spricht:
Es ist vergangen schir der schnit
Vnd kumbt doch vnser rosdieb nit.
Werlich, kumbt er nit nach der ern, 215
Sein kappn sol im nit wider wern,
Er schick darnach her, wen er wöll.

Gangl Dötsch:
Schaw zv, da kumpt der Steffel Löll,
Der ist erst nechten kumen spat
Heraus von Münichen, der Stat. 220
Frag, was er pring vür newe mer.

Lindl Fricz:
Wan her, mein Steffel Löll, wan her?
Hörst nichs vom rosdieb in der stat?

---

201 *vermessen:* verwegen, kühn.
202 *schaben:* Motten.
205 *mawsen:* Mausen, Stehlen, Betrügen.
211 *walgen:* Wogen.

Steffel Löll:
Ich hab in gsehen nechten spat.

Lindl Fricz:
Wolst in nit haisen kumen raus?   225
Wan gester ist sein zeit gleich aus,
Das er kumb her vnd las sich hencken.

Steffl Löll:
Mein Lindl Fricz, ich thetz wol pedencken,
Idoch ich nichsen sagen det,
Der dieb ser vil zv schaffen het.   230

Gangl Dötsch:
Was hat der rosdieb für ain handel?

Steffl Löll:
Ey lieber, er fürt ein erbern wandel,
Er het dort am Drendel marck fail
Allerlay hausracz einen dail,
Er thet recht guete pfenwert geben.   235
Ich hab im selb abkauffet eben
Hie diesen gueten plaben rock.
Auch het er fail ein alten pock,
Den het ich im abkauffet gern,
Wir kundens kaufs nit ainig wern;   240
Er wolt nur vmb zwölff crewczer geben.
Der pock sach warlich gleich vnd eben
Wie dein pock, het auch nur ain horn.

Lindl Fricz:
Pox angst, ich hab mein pock verlorn
Pey meim aid erst pey zwayen nachten.   245
Wen ich den sachen nach pin trachten,

---

233 *Drendel marck:* trendelmarkt: Trödelmarkt.
235 *pfenwert:* pfennigwert: geringe Ware.

So hat mirn werlich der rosdieb hin.
Warumb wolst nit ein pringen in,
Das man in ein der stat het gfangen?

Steffl Löll:
Ey, so hetten sie in gehangen,   250
So wer wir vmb den rosdieb kumen.

Lindl Fricz:
Ich glaub, dw hast dail mit im gnumen;
An deim dail ist dir worn dein rock,
So hat der dieb pehaltn mein pock;
Dw pist sunst auch nit aller rein.   255

Steffl Löll:
Dw lewgst, die red ich dir vernain,
Ich habn vmb dreyze krewczer kauft.

Gangl spricht:
Wie ist der rock mit pier petraufft!
Er ist etwan ains kretschmans gwesen.
Kern ain weng aus mit eim offn pesen;   260
Schaw, wie hecht er federn so fol!

Steffl Löll:
Ey lieber, der rock thüet mirs wol,
Die weil ich in nur an wil tragen
Allain an schlechten feyertagen,
Hab noch ain plaben rock da haim.   265
Ich mus da auch sehen nach aim –
Pocz leichnam hirn, das ist mein rock!
Der rosdieb hat mirn mit deim pock
Werlich die fodern nacht auch hin.

259 *Kretschmans:* kretschmar: Schenkwirt.
260 *Kern ain weng aus:* Kehr ihn ein wenig aus.
261 *hecht:* hängt, von ›hangen‹.
269 *fodern:* forder, foder: vorig.

Gangl Dötsch:
Mein Steffel, warpey kenstw in?   270

Steffl Löll:
Ey, pey der nestl, die hat kain steft.
Ey, wie hat mich der dieb geeft!
Wie hat er mir mein augen plent,
Das ich mein aigen rock nit kent!
Weil er mirn also wolfeil gab,   275
Ich mit dem kauff pald druecket ab,
Schawt in nit lang, ging mit darfon.
Doch ich mich schon gerochen hon
An dem rosdieb, doch haimelich.

Gangl Dötsch:
Warmit hastw gerochen dich?   280

Steffl Löll:
Ey, als der dieb het vil zv schaffen
Vnd thet ser hin vnd wider gaffen;
Wan ümb in war ein gros getreng,
Des volckes gar ein grose meng,
Da schueb ich das par hentschuech ein,   285
Dacht, der rock möcht zv dewer sein,
Vnd machet mich darfon verholn.

Lindl Fricz:
So hat ain dieb dem andern gstoln.

Steffl Löll:
Ey, nit gstoln, sunder zv genumen,
So ist der rock dest wolfeilr kumen.   290

271 *steft:* Stift, Spitze.
278 *gerochen:* gerächt.
283 *Wan:* denn.

Lindl Fricz:
Ich kans nit anders den gstolen nennen.

Steffl Löll:
Hör, thüest nit die mistgabel kennen,
Die dw mir haimlich truegest aus,
Die ich darnach fand in deim haus?
Drumb spricht man: Steln vnd widergeben   295
Das sey eim dieb ein hartes leben.
Das drift dich an, mein Lindel Fricz!

Lindl Fricz:
Was darfstw darfon sagen icz?
Es ist wol vor aim jar geschehen;
Vnd wen dw mich wölst ser mit schmehen,   300
Ich wolt dir pald dein maul zv klopffen.

Steffl Löll:
Ey, so schlag nur her, allers dropffen,
Vnd hab dir drües vnd das herzlaid!

Gengel Dötsch fert vnder, spricht:
Habt fried! Was wölt ir alle paid
Von kindswercks wegen euch zertragen,   305
Alpaid an ainander lam schlagen?
Der pader nembt von euch das gelt,
Darnach euch erst der ambtman strelt
Vnd legt euch paid in die halscheissen,
Thw ainr dem andern ein wort verpeissen.   310
Was wölt ir drumb einander schmaissen?

Lindl Fricz:
Ey, was darff er mich den diepaissen,

302 *allers dropffen:* alter Tropf.
303 *drües:* Geschwür, Pest.
305 *Von ... zertragen:* Wegen Kindereien euch entzweien.
309 *halscheissen:* Halseisen, Pranger.
311 *schmaissen:* beschmutzen, schlagen.
312 *diepaissen:* Dieb heißen.

Die weil ich pin als frumb als er?
Drucz aim, der anderst sage her!

Gangl spricht:
Ja, ir seit im grund paidesander 315
Ainr eben gleich frumb wie der ander,
Ir seit rechter geselen zwen.

Steffl Löll:
Mein Gangl, dw thüest wol pey vns sten
Der frumbheit halb, hastus vergessen?

Gangl Dötsch spricht:
Was vner wolst mir da zv messen? 320
Dw mainst vileicht die Eyssen schin,
Die ich hab von deim wagen hin?
Hab ich dirs nit darnach müesn zaln?
Was darfst den iczund darfon daln,
Weils ist mit piderlewtn vertragn. 325
Ich dörft dir pald dein mawl zerschlagn,
Dw unferschempter grober Lötsch.

Steffl Löll:
Ey, so schlag her, mein Gangel Dötsch!
Haw her, ich gieb dir kainen zagen!

Lindl spricht:
Ich wil auch ein por gais dron wagen 330
Vnd mit in schirmen vor der schuepffn,
Das die sel in dem gras vmb huepffn.

---

320 *vner:* unere: Unehre, Kränkung, Schmach.
324 *daln:* tadeln.
329 *ich ... zagen:* ich laß mich nicht lumpen.
330 *dron wagen:* aufs Spiel setzen.
331 *schirmen:* verteidigen, parieren.

Sie zihen von leder, schlagen einander hinaus.
Der dieb kumpt, pringt sein kappen, spricht:
Ich main, die pawern habn abkert,
Einander leichnam üebel pert.
Ich hab lang zv ghört vnd zv gsehen   335
Hinter eim zaun, dorft nichsen jehen.
Das war ein rechter diebeshader.
Icz pint man sie all drey peim pader.
Es hat werlich der Lindl Fricz
Vnterhalb seinem rüeck ein schlicz,   340
Ainr legt ein zwerche hant darein.
Des Gengl Dötschen schad ist nit klein.
In haben ghawn die andern zwen,
Das man im sicht all seine zen.
So künd der padr dem Steffel Löln   345
Das plut vnden lang nit versteln,
So hettens im zv adern glassen,
Zwen zen gehawen aus der nasen.
Nach diesem hader hab ich vnden
Mein rotte kappen wider funden,   350
Die sie im hader verzettet hand.
So hab ich wider gholt mein pfand
Vnd hab mich gstelt zv rechter zeit,
Hab nun genueg than meinem eidt,
Mein eren nach, als frumb ich pin.   355
Ich dorft wol zv den pauern hin
Vnd piten lands hueld zv erlangen.
Wir dragn wol wasser an ainr stangen;
Wan es ist das fiech wie der stal
Zwischen vns allen vberal   360
Der frunckheit halb, ich wil es wagen,

333 *abkert:* abkern: heimleuchten, die Wahrheit sagen.
334 *pert:* beren: schlagen.
338 *pint:* verbindet.
341 *zwerche:* zwerch: quer.
346 *versteln:* stillen.
351 *verzettet:* verzeten: fallen lassen.
361 *frunckheit:* frumkeit: Rechtlichkeit.

Die Füensingr wern mirs nit abschlagen.
Ich hoff, ir ainfalt zv geniesen;
Wir wöllen einen wein dran giesen,
Das gleich vnd gleich wider zam wachs   365
Im dorff zw Füensing, wünscht Hans Sachs.

Die person in das spiel:

Gangl Dötsch   ⎫   1
Stefl Löll   ⎬ 3 Fünsinger pauern 2
Lindl Fricz   ⎭   3
Vel von Frissing, der rosdieb   4

Anno salutis 1553, am 27 tag Decembris
366 vers.

Ein fasnacht spiel mit 4 person:

Der doctor mit der grosen nasen.

Der junckher get ein mit seinem knecht Friczen vnd
spricht:
Ich hab dürch ein potten vernümen,
Es werd hewt ein gast zv mir kümen:
Der künstlichst man im deutschen land
Paide mit münd vnd auch mit hand,
Ist ain doctor der arzeney,   5
Auch künstlich in der alchamey,
Artlich auf allem saitenspiel,
Auch ründ mit schiesen zv dem ziel,
Zv dem waid werck kan er auch wol
Vnd was ein hoffman künden sol,   10

3 *künstlichst:* gelehrteste, erfindungsreichste.
7 *Artlich:* gewandt.
8 *ründ:* geschickt, gewandt.

Kan, was gehört zv ernst vnd schimpf
Vnd als höfflich mit feinem glimpf,
Ist angnem pey fuersten vnd herren,
Paide pey nahet vnd den ferren,
Helt sich gancz wol pey idermon;   15
In sicht doch nymant darfüer on.
Der selbig wirt mir wonen pey
In dem schlos ein tag oder drey,
Da werden wir zwischen vns peden
Nür von artlichen künsten reden.   20
Den wil ich tractyren aufs pest
Als ainen meiner lieben gest,
Den halt dw auch erlich vnd wol,
Wie man eren man halten sol;
Daran thustw mir ein wolgfallen.   25

Knecht Fricz spricht:
Jünckher, ja ich wil in ob allen
Erlich halten nach ewer sag,
Im dinstlich sein, so vil ich mag,
Wil im abzihen die stiffel sein
Vnd die auspüczen wol vnd fein,   30
Im auf hebn watsack, puechsn vnd schwert,
Mit fleis versehen im sein pfert,
Mit strewen, strigeln, fütern vnd drencken.
Doch, junckher, ains ist zv pedencken:
Vnser narr ist mit worten resch   35
Vnd richt oft an gar selzam wesch;
Wan er stecket vol phantasey,
Vnd placzt oft vngschwungen in prey.
Verpit solichs dem dollen thier.

11 *schimpf:* Scherz, Kurzweil.
12 *glimpf:* Anstand.
23 *erlich:* ehrenvoll.
31 *watsack:* Reisetasche.
38 *vngschwungen:* grob.

Der junckher schreit:
Jeckle, Jeckle, kumb rein zv mir!   40

Der Jeckle, narr, rawscht hinein vnd spricht:
Junckherlein, sag, was sol ich thon?
Sol ich den koch haisn richten on?
Hüngert dich, so ist dir als mir;
Wen mich durst, wer mir auch wie dir.

Der jünckher:
Jeckle, es wirt kümen ain gast;   45
Schaw zv, das dw in erlich hast,
Er ist ain künstenreicher mon.

Jecklein, narr:
Mein herlein, sag mir, was er kon!
Ist er seinr künst ain gueter koch,
So halt ich in erlich vnd hoch;   50
Kan er guet faiste süeppen machen,
Darmit ich füelt mein hüngring rachen,
Guet schweine praten vnd rotseck,
Oder ist er ein semelpeck,
Kan pachen specküchen vnd fladen,   55
So hab ich seiner künst gros gnaden;
Oder ist er ain ründer keller,
Tregt aüf rein wein vnd müscadeller
Vnd newen wein in grosen flaschen,
Das ich künt meinen goder waschen,   60
Da wolt ich schlemen, fressn vnd sauffen,
Das mir aügn müesten vberlaüffen.
So wer mir warlich lieber er,
Als wen er der künstreichst goltschmid wer.

---

53 *rotseck:* rotsack: Blutwurst.
55 *fladen:* flache Kuchen.
57 *keller:* Kellermeister.
60 *goder:* Schlund, Gurgel.

Der junckher spricht:
Jecklein, Jecklein, dw pist gar grob,   65
Sprich dem herren preis, er vnd lob,
Vnd frag nit weiter, was er kon,
Es ist ain künstenreicher mon.
Icz kümbt er. Thuet in hoff nab gen
Vnd nembt von im das ros all zwen!   70

Sie gent all paid ab.
Der jünckher rett wider sich selb vnd spricht:
In vil jarn ich den lieben mon
Warhaftig nie gesehen hon;
Ich frew mich sein pey meinem aid,
Ich denck wol, das wir alle paid
Etwas vor pey den zehen jarn   75
Oft frölich mit einander warn.

Sie gent mit dem doctor ein.
Der jünckher pewt im die hent vnd spricht:
Mein herr doctor, seit mir wilküm
Zv dawsent mal! Pin ich eren frum,
So hab ich warhaftig in nehen
Kein gast von herczen lieber gsehen,   80
Ich las euch in acht tagn nit hin.

Der doctor mit der grosen nasen spricht:
Mein jünckher, ich gefordert pin:
Auf morgen müs ich zv Bamberg sein,
Doch hab ich zv euch keret ein,
Die alten freüntschafft zv vernewen,   85
Doch mües ich wider (pey mein trewen!)
In zwayen stünden gwis auf sein.

Der junckher spricht:
Ge, Fridrich, trag auf rotten wein!

78 *eren frum:* ehrbar.

Seczt euch, her doctor, ir habt güet zeit,
In neün stünden ir nüeber reit.   90
Last vns von newer zeittung sagen,
Was sich im Teutschlant zv hat tragen.

Der knecht pringt die schewern mit wein dem
junckhern, der spricht:
Herr doctor, nün seit gueter ding!
Ein starcken drunck ich euch hie pring.

Vnd drincket.
Der doctor spricht:
Mein jünckherr, den gesegn euch got!   95
Der wein von farben ist güet rot.

Der doctor drinckt vnd darnach spricht:
Ich glaub, das sey ein welschwein guet,
Welchen man den cürs nennen thüet.

Der Jeckle narr gnipt vnd gnabt da her, lacht ser
vnd spricht:
Klains herrlein, got gsegn dir dein drincken!
Wie hastw so ain schonen zincken,   100
Er hat die leng foren hinauff,
Es sessn wol siben hennen drawff.
Ey lieber, nenn dich, wie dw heist,
Ich glaub, der nasen küng dw seist,
Aus allen grosen nasn erkorn,   105
Dw hast ie ain schones leschorn.

Der doctor schembt sich vnd schawt vntersich.
Der jünckher spricht:
Jeckl nar, schweig, das dich die trües rüer!
Stos den narn naus für stuebtüer!

91 *newer zeittung:* Nachricht, Neuigkeit.
vor 93 *schewern:* schewre: Becher, Pokal.
98 *cürs:* eine Weinsorte.
107 *trües:* Pest.

Fricz, der knecht, stöst den narren hinaus.
Der junckher redt weiter:
Er dalet wie ein alte hecz.
Wer mag hören sein vnüecz gschwecz.   110
Mein herr doctor, kumbt, schawt mein new
Zierlich vnd gewaltig gepew.
Ain schlos pawt ich in jar vnd tagen.

Der doctor spricht:
Ja von dem paw so hört ich sagen,
Weil ich noch war in dem Welschlant   115
Von aim, der euch ist wol pekant.

Sie gent all drey ab.
Jeckle nar schleicht hinein vnd spricht:
Mein junckher sagt, ich solt den mon
Gros zuecht vnd er peweisen thon.
Da sach ich nichs grosers an im,
Den sein nassen, als mich gezim,   120
Die im schir zv deckt sein angsicht.
Da ich die lobt, gfiel es im nicht,
Wie wol ich im vil er erpot,
Haücht er sich nider, wart schamrot,
Als ob ich in het angelogen.   125
Hab ich ie die warheit anzogen,
Sein nasen sey pucklet vnd högeret,
Vol engerling, wimret vnd knogeret?
Er hört leicht die warheit nit gern.
Ich wil die sach mit luegn erclern,   130

109 *dalet ... hecz:* schwatzt wie eine Elster.
120 *gezim:* gezemen: angemessen finden.
124 *Haücht:* hauchen: sich ducken, kauern.
126 *anzogen:* anziehen: nennen, zur Sprache bringen.
127 *högeret:* höckerig.
128 *engerling:* Diminutiv zu ›enger‹, Made. – *wimret:* knotig. – *knogeret:* knorrig.
129 *leicht:* vielleicht.

Ob ich wider erlanget hüeld,
Hab ie sein feintschafft nit verschüeld.

Fricz, der knecht, get ein vnd spricht:
Jecklein, lieber schweig doch nur stil!
Der junckher ernstlich haben wil,
Dw solt gar kein wort mer jehen,   135
Den doctor zv hön oder schmehen;
Er ist dem junckhern ain lieber gast.

Der narr spricht:
Ey, wie wol dus getroffen hast,
Peim ars im schlaff, mein lieber Fricz,
Kümb her vnd kües mich, da ich sicz!   140
Sag, hat das herrlein nit der masen
Ein grose rotte küpffren nasen,
Der gleich ich kaine hab gesehen?
Hab in zům nasenküng verjehen,
Weil sein nas war so dick vnd lanck,   145
Hab doch verdint des deuffels danck:
Dw stiest mich naus wie ainen hünd.
Wen sie icz wider keren dünd,
Wil ich die warheit an den enten
Dem herrlein fein hofflich verqüenten.   150
Das wird im leicht gefallen pas,
Auf das er mich zv friden las.

*Der junckherr kümbt wider mit dem doctor
vnd spricht:*
Herr doctor, wie gfelt euch mein gepew?

Der doctor spricht:
Aufs aller past, pey meiner trew!

139 *ars:* Arsch.
144 *verjehen:* verkündigt.
150 *verqüenten:* vertauschen, verbergen.

Als obs Lucullus het gepawt,   155
Der Römer, ich habs gern geschawt,
Wolt auch geren sehen darpey,
Mein junckher, euer lieberey,
Weil ir die seit her zehen jar
Wol pessert habt, glaub ich vürwar,   160
Weil durch den druck seit her, ich sag,
Vil gueter püechr kamen an tag.
Der habt ir on zweyffel ain dail.

Der junckher:
Ja, was von guetn püechern wirt fail
In deütscher sprach, die kaüff ich aüf;   165
Hab ir pracht int liebrey zv haüf,
Daran ir euren lust wert sehen;
Wan ich mag in der warheit jehen,
Kain gröser frewd hab ich aüf erd,
Den zv lesen die püecher werd,   170
Da ich deglich erfar das pest,
Das ich vor gar nit hab gewest,
Als ein lay vnd vnglerter mon.

Der doctor spricht:
Das ist löblich vnd wol gethon.
Nun last mich disen schacz auch sehen!   175

Der junckherr spricht:
Herr doctor, kümbt, es sol geschehen.

*Der narr drit hinzv, naigt sich gen dem
doctor, spricht:*
Dw gros, grader, paümblanger mon,
Ich pit, wollest mir zaigen on,
Wo hast dein klain neslein genumen?

---

158 *lieberey:* Bibliothek.
167 *lust:* Wohlgefallen, Freude.

Von wannen pistw mit her kumen?   180
Ich main, dw habs aim kind gestoln.

Der doctor spricht zornigclich:
Ey, sol ich solich schmach red doln,
Die ich nun zwaymal hab eingnumen?
Mich rewt schir, das ich rein pin kumen.
Sol ich das leiden von dem gecken?   185

Der junckher spricht:
Fricz, schlag pald hinaüs mit aim stecken
Den narren, das in trues ankumb,
Der narr ist also doll vnd dumb.

Man schlecht den narren hinaus.
Der junckher rett weiter:
Er pschnatert alles, was er sicht.
Herr, last euch das anfechten nicht.   190
Der narr thut mir kain dinst daran,
Kein mensch im das abzihen kan.
Kumbt mit mir in mein lieberey,
Da werdt ir finden mancherley
Püecher, gaistlich zw gottes glori,   195
Philosophey, weltlich histori,
Poetrey, fabel vnd güet schwenck.

Der doctor spricht:
Ja, junckher, ich gleich wol gedenck,
Der nar hab seinr züngen kain gwalt.
Ich las gleich guet sein der gestalt,   200
Wen mir der gleich nür nit mer gschicht.

Der junckher spricht:
Herr, wen der nar ein wort mer spricht,
Das euch zv ainr schmach raichen sol,

---

182 *doln:* dolen: dulden.

Wil ich dem knecht pefelhen wol,
Das er den narrn pint an ain sewl, 205
Mit ruetn haw, pis er wain vnd hewl,
Das im das pluet herab mus gon.
Kümbt, secht mein lieberey fort on.

Sie gent paid ab.
Jeckle, der narr, get ein, ret mit im selb vnd spricht:
Ich hab zv reden heüt kain glüeck,
Es felet mir in allen stüeck: 210
Wen gleich die warheit sage ich,
So stöst man aüs der stüeben mich.
Vnd kumb ich den mit lüegen sagen,
So thuet man mich mit stecken schlagen.
Das herrlein ist an im selber klein, 215
Doch ist ser gros der zoren sein,
Wie man sagt: Klainen mendlein vor zeit
Der dreck nahet peim herzen leit.
So ist dem auch, thüet mich pethorn,
Mag weder lueg noch warheit horn. 220
Pocz dreck, was sol ich nun anfangen,
Des klain herleins hueld zv erlangen?
Ich wil halt sagn dem grossen mon,
Sein nasn ge mich gar nichs mer on.

Fricz, der reitknecht, kumpt, spricht:
Sich, Jecklein, pistw wider hinen? 225
Las dir fort mer kain wort entrinen,
Das doctors nasen an thw treffen
In zv verspoten noch zv effen.
Ich müs sunst hawen dich mit rueten,
Das dir der ruck vnd ars müs plueten. 230
Darumb so hab rw, allers narrn!

216 *zoren:* Zorn.
218 *leit:* liegt.
219 *pethorn:* betören, für einen Toren ansehen, äffen.

Der Jeckle narr spricht:
Ich main, der doctor hab ains sparn
Im kopff zv weng oder zv vil,
Das er mich nit vernemen wil.
Hab ich doch ie an diesem ort   235
Zw dem herrlein geret kain wort,
Den was seinr nassn zv lob vnd er
Raicht, hab gefolgt des junckhern ler.
Weil sunst nichs grosers an im ist,
Den sein nasen, hab ich nit gwist,   240
Was er ich im erpitten sol,
Den sein nasen zv loben wol.
Fort wil ich nit mer loben den,
Wil seiner nasen müsig gen,
Vnd im das selb auch sagen zv.   245

Fricz, der knecht:
Mein lieber Jecklein, sey mit rw!
Sag von seinr nasen mer kain wort!

Jeckle, narr, spricht:
Hör, Fridlein, ich glaub an dem ort,
Sein nasen kumb im nit recht her,
Weil darfon nit hört geren er   250
Reden öffenlich noch verholn.
Er hat vileicht sein nasen gstoln
Dem kremer, der hat nasen fail,
Oder hat gar zwen ganczer thail
Zw sam gnumen zv ainer nasen.   255

Der knecht Fricz spricht:
Jecklein, thw mit fride in lasen,
Vnd schweig gar von der nasen stil!
An seiner nassn gwinst nit vil.

232 *sparn:* Sparren.
234 *vernemen:* verstehen.
248 *an dem Ort:* jetzt.

Jecklein, narr, spricht:
Pocz dreck! sorgstw, sorg ich doch nit,
Deint halb schweig ich nit, ich hoff mit   260
Das herrlein zv aim freünt zv machen,
Das dw mein selbert noch wirst lachen.
So er wirt meiner vnschueld innen,
Wil ich sein günst vnd hueld gewinnen.
Er wirt mir noch ain paczen schencken,   265
Den wil ich an mein kappen hencken.
Drum vetsch dich von mir, las mich gen!

Fricz, der reitknecht, spricht:
Ich las dich dein abenteur psten,
Doch stilschweigen das nüeczest wer.
Dort kümens mit einander her.   270

Sie kümen paid wider.
Der doctor spricht:
O junckher, wie ein dewren schacz
Hapt ir von püchern auf dem placz!
Solch meng het ich pey euch nit gsücht.
Güet pücher lesen gibt gros frucht,
Voraus wo man darnach richt eben   275
Gedancken, wort, werck vnd gancz leben.
Den wirt man tugentreich darfon,
Auch lieb vnd wert pey idermon.

Der narr klopfft den doctor auf die achsel
vnd spricht:
Herlein, mich gar nit mer anficht,
Dw habst ein nassen oder nicht.   280
Sie sey geleich gros oder klein,
Sols von mir vnpekreet sein.

267 *vetsch dich von mir:* pack dich.
268 *psten:* bestehen.

Der junckherr spricht:
Fricz, nem den narn ins dewffels namen
Vnd pint im alle vire zamen
Mit ainem strick, wie ainem kalb,   285
Zeuch in ab, streich in allenthalb
Mit ainer geschmaysigen rueten,
Vnd hör nit auf, pis er thw plueten.

Der doctor spricht:
Mich dünckt, mein sey zv vil im haus,
Ich wil gen machen mich hinaüs,   290
Weil mich der narr dreymal der masen
Mich fretet hat mit meiner nasen.
Mich vertrewst hart solich vexiren.

Der jünckher spricht:
Herr doctor, last euch das nit irren,
Wie ich euch den sagt im anfang;   295
Wan ider fogel singt sein gsang;
So thuet mein narr reden vnd kallen
Alle ding, wie sie im einfallen,
Auch alles, was er hort vnd sicht,
Das lest er vnpegeckert nicht,   300
On alle schew vnd hinterhüet.
Darümb man in oft plewen thüet.
Doch pleibt er gleich der narr wie vor,
Ein gschwecziger phantast vnd thor;
Wan wer er gescheid, so thet ers nit.   305
Derhalb, mein herr, so ist mein pit,
Wolt mirs in uebel nit zv messen,
Vnd thuet zv mitag mit mir essen!

286 *streich in:* schlag ihn.
287 *geschmaysigen:* obdt. für ›geschmeidigen‹.
292 *fretet:* geneckt.
297 *kallen:* schwadronieren.
301 *hinterhüet:* Hinterlist.

Es ist peraitet schon der disch
Mit wilpret, hasen, fogl vnd fisch.   310
Kümbt nur rein mit mir auf den sal!

Der doctor spricht:
Ja wol. Mein Fricz, ge nab in stal,
Strigel vnd satel mir das pfert,
Das nach dem mal ich gfertigt wert;
Wan es ist warlich hohe zeit,   315
Das ich heint noch gen Forchaim reit.

Sie gent paid ab.
Der narr haspelt hinein vnd peschleust:
Hie nem ein peyspil fraw vnd mon
Pey mir, wer auch nit schweigen kon,
Sünder peschnattert alle ding,
Obs gleich schant oder schaden pring,   320
Es sey auch gleich war oder nicht,
Noch ers auf das spötlichs aüsricht,
Darauf hat er am maisten acht,
Wescht füer vnd füer gar vnpetacht,
Wil oft ein sach pessern vürwar   325
Vnd verderbt sie erst gancz vnd gar,
Vnd auch kainer person verschonet, –
Wer des faczwercks also gewonet,
Wirt feintselig pey idermon,
Nembt auch vil auf neschlein daran,   330
Let auch auf sich vil neid vnd has,
Das schweigen im peköm vil pas.
Das alt sprichwort guet kuntschaft git:
Mit schweigen verett man sich nit.
Het ich auch gschwigen von der nasen,   335
So het man mich vngschlagen glasen.

322 *aüsricht:* zustande bringt, vollbringt.
328 *des faczwercks:* der Spötterei.
330 *neschlein:* Näslein.

Wil mich nün schweigens nemen an,
Das ich vngschlagen kum darfon,
Auf das mir nit ain vnglüeck wachs
Aus anderm vnglüeck, spricht Hans Sachs. 340

Die person in das spil:

Junckher, der edelman	1
Der doctor mit der grosen nasen	2
Fricz, der reitknecht	3
Jeckle, der narr	4

Anno salutis 1559, am 13 tag Decembris.
340 vers.

Das Schlauraffen Landt.

Ain gegent haist Schlauraffen land,
Den faulen leuten wol bekant,
Das ligt drey meyl hinder Weyhnachten.
Vnd welcher darein wölle trachten,
Der muß sich grosser ding vermessn 5
Vnd durch ein Berg mit Hirßbrey essn,
Der ist wol dreyer Meylen dick.
Als dann ist er im augenblick
Inn den selbing Schlauraffen Landt,
Da aller Reychthumb ist bekant. 10
Da sind die Heuser deckt mit Fladn,
Leckuchen die Haußthür vnd ladn,
Von Speckuchen Dielen vnd wend,
Die Tröm von Schweynen braten send.

---

vor 1 *Schlauraffen:* schlauraff (früher ›slur-, sluderaffe‹, von ›sludern‹
schlenkern, schludern): herumschlendernder Müßiggänger, Schlaraffe;
Hans Sachs hat dieses Motiv aus dem 15. Jahrhundert zuerst behandelt.
9 *selbing:* selbig.
14 *Tröm:* tram: Balken.

Vmb yedes Hauß so ist ein Zaun,   15
Geflochten von Bratwürsten braun.
Von Maluasier so sindt die Brunnen,
Kommen eim selbs ins maul gerunnen.
Auff den Tannen wachssen Krapffen,
Wie hie zu Land die Tannzapffen.   20
Auff Fichten wachssen bachen schnittn.
Ayrpletz thut man von Pircken schüttn.
Wie Pfifferling wachssen die Fleckn,
Die Weyntrauben inn Dorenheckn.
Auff Weyden koppen Semel stehn,   25
Darunter Pech mit Milich gehn;
Die fallen dann inn Pach herab,
Das yederman zu essen hab.
Auch gehen die Visch inn den Lachn
Gsotten, Braten, Gsulzt vnd pachn   30
Vnd gehn bey dem gestat gar nahen,
Lassen sich mit den henden fahen.
Auch fliegen vmb (müget jr glaubn)
Gebraten Hüner, Genß vnd Taubn.
Wer sie nicht facht vnd ist so faul,   35
Dem fliegen sie selbs in das maul.
Die Sew all Jar gar wol geratn,
Lauffen im Land vmb, sind gebratn.
Yede eyn Messer hat im rück,
Darmit eyn yeder schneydt eyn stück   40
Und steckt das Messer wider dreyn.
Die Creutzkeß wachssen wie die steyn.

---

17 *Maluasier:* Malvasier, südgriechischer Wein.
21 *bachen:* gebackene.
22 *Ayrpletz:* Eierkuchen.
23 *Fleckn:* vleck: tellerförmiges flaches Brot.
26 *Pech:* Bäche.
29 *Lachn:* Lache: Pfütze, Teich.
30 *Gsulzt:* gesalzen.
31 *gestat:* Gestade, Ufer.
42 *Creutzkeß:* mit einem Kreuz bezeichneter Käse des Klosters zum heiligen Kreuz in Donauwörth.

So wachssen Bawern auff den bawmen,
Gleych wie in vnserm land die pflaumen.
Wens zeytig sind, so fallens ab, 45
Yeder in ein par Stiffel rab.
Wer Pferd hat, wird ein reycher Mayer,
Wann sie legen gantz körb vol Ayer.
So schüt man aus den Eseln Feygn.
Nicht hoch darff man nach Kersen steign, 50
Wie die Schwartzper sie wachssen thun.
Auch ist in dem Land ein jungkbrun,
Darinn verjungen sich die altn.
Vil kürtzweyl man im Land ist haltn:
So zu dem zyl schießen die gest, 55
Der weytst vom blat gewint das best;
Im lauffen gwindt der letzt alleyn.
Das Polster schlaffen ist gemeyn.
Jr Weydwerck ist mit Flö vnd Leusn,
Mit Wantzen, Ratzen vnd mit Meusn. 60
Auch ist im Land gut gelt gewinnen:
Wer sehr faul ist vnd schlefft darinnen,
Dem gibt man von der stund zwen pfennig,
Er schlaff jr gleych vil oder wenig.
Ein Furtz gilt einen Binger haller, 65
Drey gröltzer einen Jochims Thaler.
Vnd welcher da seyn gelt verspilt,
Zwifach man jm das wider gilt.
Vnd welcher auch nicht geren zalt,
Wenn die schuldt wird eins Jares alt, 70
So muß jm jener darzu gebn.
Vnd welcher geren wol ist lebn,

---

50 *Kersen:* Kirschen.
51 *Schwartzper:* Heidelbeeren.
65 *Binger haller:* schwerer Heller, wie er am Rheinzoll bei Bingen gezahlt
   werden mußte.
66 *gröltzer:* Rülpse. – *Jochims Thaler:* Joachimsthaler, nach der böhmischen
   Stadt Joachimsthal.
68 *wider gilt:* zurückzahlt.

Dem gibt man von dem trunck ein patzn.
Vnd welcher wol die leut kan fatzn,
Dem gibt man ein Plappert zu lohn.   75
Für eyn groß lüg geyt man eyn Kron.
Doch muß sich da hüten ein Man,
Aller vernunfft gantz müssig stan.
Wer synn vnd witz gebrauchen wolt,
Dem wurd keyn mensch im lande holdt,   80
Vnd wer gern arbeyt mit der handt,
Dem verbeut mans Schlauraffen landt.
Wer zucht vnd Erbarkeyt het lieb,
Denselben man des Lands vertrieb.
Wer vnnütz ist, wil nichts nit lehrn,   85
Der kombt im Land zu grossen ehrn;
Wann wer der faulest wirdt erkant,
Derselb ist König inn dem Landt.
Wer wüst, wild vnd vnsinnig ist,
Grob, vnuerstanden alle frist,   90
Auß dem macht man im Land ein Fürstn.
Wer geren ficht mit Leberwürstn,
Auß dem ein Ritter wird gemacht.
Wer schlüchtisch ist vnd nichtzen acht,
Dann essen, trincken vnd vil schlaffn,   95
Auß dem macht man im land ein Graffn.
Wer tölpisch ist vnd nichssen kan,
Der ist im Land ein Edelman.

Wer also lebt wie obgenant,
Der ist gut ins Schlauraffen Landt,   100

---

73 *patzn:* Batzen: kleine Münze der Stadt Bern mit dem Wappentier (Bär
›betz‹).
74 *fatzn:* zum besten haben.
75 *Plappert:* Plappart: 3 Kreuzer.
76 *Kron:* Kronentaler.
85 *lehrn:* lernen.
89 *vnsinnig:* unsinnig, toll.
90 *vnuerstanden:* unverständig. – *alle frist:* alle Zeit.
94 *schlüchtisch:* liederlich. – *nichtzen:* nichts.

Das von den alten ist erdicht,
Zu straff der jugent zu gericht,
Die gwönlich faul ist vnd gefressig,
Vngeschickt, heyloß vnd nachlessig,
Das mans weiß ins land zu Schlauraffn,   105
Damit jr schlüchtisch weyß zu straffn,
Das sie haben auff arbeyt acht,
Weyl faule weyß nye gutes bracht.

Anno Salutis 1530.

Das kelberprüten.

In dem schaczton Hans Vogels.

1.

Ein pauer sas zu Popenreut,
Der seiner sin war halb zerstrewt,
Schickt sein weib frw int state,
Das sie aus milch gelt losen solt,
Die weil da haim er kochen wolt.   5
Der auf den tag doch spate
Im pet verschlaffen hate.

Doch morgens, da der hirte plies,
Kue, sew vnd kelber er auslies.
Legt sich wider ins pette.   10
Ein kalb verirret sich im hoff,
Das angfer zv dem prünen loff,
Darein sich stuerzen dete.
Als der pawer aüfstete,

---

105 *weiß:* weise, schicke.
  3 *frw int state:* früh in die Stadt.
12 *angfer:* von ungefähr.

Wolt kochen, schopft wasser am prünen,   15
Hat er das kalb darin gefünnen.
Da war im angst zv müet,
Gedacht: aus ayren prüet ein hen
Jünge hüner; der gleich wie wen
Ich kes vnterlegt schiere,   20
Vileicht wurden aüch ausgeprüet
Jünge kelber von mire.

2.

In ain korb legt er sieben kes,
Zog sein pruech ab sambt seim geses
Vnd seczt sich auf die dillen   25
In korb hoch oben in dem haüs,
Wolt junge kelber prüeten aus,
Sein weib darmit zv stillen:
Im hiren het er grillen.

Als er nün ob den kesen sas,   30
Des zessen kochens er vergas.
Die fraw vom marck kam wider,
Süecht im haüs vnd schrir irem mon,
Da kreet er gleich wie ein hon:
Guecker hürl hüe! gar nider,   35
Schwang sam das sein gefider.

Die fraw zv im auft dillen stiege,
Der man im korb sas stil vnd schwiege
Vnd zischet wie ein gans,
Wen die siczt ob der ayer prüet.   40
Die fraw erschrack, war vngemüet,

---

24 *pruech:* Hose um Hüfte und Oberschenkel. – *geses:* der hintere Teil der
   Hose, der das Gesäß deckt, im Gegensatz zum vordern, dem ›latz‹.
25 *dillen:* Diele.
28 *stillen:* beschwichtigen.
41 *vngemüet:* verdrießlich, zornig.

Maint, er wer nicht pey sinnen,
Vnd sprach zv im: »Mein lieber Hans,
Was thüstw hie peginnen?«

3.

Der man sie widerümb anpfiff.   45
Als mit der hant sie nach im grieff,
Mit dem maül nach ir schnappet
Der paüer, erst gab sie die fluecht
Vnd ir hilff pey dem pfarer süecht,
Sprach: »Helft, mein man ist lappet.«   50
Der pfarrer mit ir sappet.

Pald den pfarrer ersach der mon,
Da kreet er vnd pfiff sie on.
Der pfaff in pald peschwüere,
Warff im den stol an seinen hals   55
Vnd zog in von dem korb nach mals.
Der paüer pald aüfüere,
Schray vnd gar zornig wüere:

»Der dewffel euch herfüeren thuete,
Das ir mir habt verderbt die prüete.   60
Schawt die kes an der stet!
Schon lebentig sint allenthalb;
Ide mad worden wer ein kalb,
Het ir mich prueten lassen.« –
Also manch güet anschlag verget   65
Gleich ainer wasser plasen.

Anno salutis 1547, am 13 tag May.

---

44 *thüstw:* tust du.
51 *sappet:* sappen: schwerfällig einhergehen, stapfen.
55 *den stol:* die Stola.

Sant Petter mit den lanczknechten
im himel.

Neün armer lanczknecht zogen aüs
Vnd garteten von haüs zv haüs,
Die weil kain krig im lande was.
Ains morgens früe trüeg sie ir stras
Hinaüff pis für das himel thor.   5
Da klopften sie auch an darfor,
Wolten auch in dem himel garten.
Sant Petter thet der pforten warten.
Als er die lanczknecht darfor sach,
Wie pald er zw dem herren sprach: 10
»Herr, dawsen stet ein nackate rot;
Las sie herein, es thüet in not.
Sie wolten geren hinen garten.«
Der herr sprach: »Las sie dawsen warten!«
Als nün die lanczknecht müstn harren,   15
Fingens an zv fluechen vnd scharren:
»Marter, leiden vnd sacrament!«
Sant Peter dieser flüech nit kent,
Maint, sie retten von gaistling dingen.
Gedacht, in himel sie zv pringen,   20
Vnd sprach: »O lieber herre mein,
Ich pitte dich, las sie herein!
Nie früemer leüt hab ich gesehen.«
Da wart der herr hinwider jehen:
»O Petre, dw kenst ir nit recht.   25
Ich merck wol, das es sint lanczknecht,
Solten wol mit müetwilling sachen
Den himel vns zv enge machen.«
Sant Peter der pat aber mer:
»Herr, las sie herein durch dein er!«   30

2 *garteten:* bettelten.
13 *geren hinen:* hier drin.
24 *jehen:* sagen.

Der herr sprach: »Dw magsts lassen rein;
Dw müst mit in pehangen sein.
Schaw, wie düs wider pringst hinaüs!«
Sant Petter war fro üeberaüs
Vnd lies die frümen lanczknecht ein.   35
Pald sie in himel kamen nein,
Gartens herümb pey aller welt,
Vnd pald sie zam prachten das gelt,
Knockten sie zamen auf ain plon
Vnd fingen zv vmbschanczen on;   40
Vnd e ain virtel stund verging,
Ein hader sich pey in anfing
Von wegen ainer vmbeschancz.
So würden sie entrüestet gancz,
Zueckten von leder allesamen   45
Vnd hawten da gar dapfer zamen,
Jagten einander hin vnd wider
In dem himel auf vnd auch nieder.
Sant Petter diesen straüs vernümb,
Kam, zant die lanczknecht an darümb,   50
Sprach: »Wolt ir in dem himel palgen?
Hebt eüch hinaus an lichten galgen!«
Die lanczknecht in düeckisch an sahen
Vnd detten auf sant Peter schlahen,
Das in sant Petter müst entlawffn.   55
Zümb herren kam mit plassn vnd schnawffn
Vnd klagt im üeber die lanczknecht.
Der herr sprach: »Dir gschicht nit vnrecht.
Hab ich dir nit gesaget hewt,
Lanczknecht sint frech, müetwillig lewt!?«   60

---

32 *Dw müst ... sein:* Du mußt mit ihnen zu schaffen haben.
39 *Knockten:* kauerten, hockten. – *plon:* plan: Platz.
40 *vmbschanczen:* würfeln.
43 *vmbeschancz:* Wurf.
50 *zant ... an:* anzanen: jemandem die Zähne zeigen, anfallen.
54 *schlahen:* schlagen.
56 *plassn:* Blasen.

Sant Peter sprach: »O herr, der ding
Verstünd ich nit. Hilff, das ichs pring
Hinaüs! Sol mir ein wyczung sein,
Das ich kain lanczknecht las herein,
Weil sie sint so mütwillig lewt.«   65
Der herr sprach: »Aim engel gepewt,
Das er ein trümel neme vor
Vnd stel sich naüs vurs himel tor
Vnd alda ainen lerman schlag!«
Sant Peter thet nach seiner sag.   70
Pald der engel den lerman schlueg,
Loffen die lanczknecht an verzueg
All hinaus vur das himel thor,
Mainten, ein lerman wer darfor.
Sant Peter pschlos der himel pfortn   75
Verspert die lanczknecht an den ortn,
Das seit kainer hinein ist kümen,
Weil sant Peter mit in det prümen.
Das aus dem schwanck kein vnrat wachs,
Pit vnd pegert mit fleis Hans Sachs.   80

Anno salutis 1556, am 19 tag May.

Die zwen petrognen püeler.

In der stat Pistoya sase
Ein witfraw, die genennet wase
Francisca, doch der jar nit alt,
Von leib gancz engelisch gestalt.

---

63 *Sol mir ... sein:* Soll mir eine Witzung, Einsicht, d. h. Lehre sein.
69 *lerman:* Lärm, Alarm.
  vor 1 *püeler:* Buhler.
  4 *engelisch:* englisch, engelhaft.

Vmb die püelten zwen, Alexander 5
Der ein vnd Rinüczo der ander,
Mit hoffiren vnd potschaft schicken,
Ir hercz mit liebe zw verstricken.
Kainer es von dem andren west.
Die fraw war früm vnd eren vest 10
Der pueler nicht abkümen künd,
Pis sie doch einen list erfünd.
Stanadio, der pösest mon
Vnd vngeschaffenst von person,
Eins tags verschieden war mit dot. 15
Alexandro die fraw entpot,
Het er sie lieb, das er im grab
Dem dotten sein klaid züege ab
Vnd sich darein züm dotten leget,
Die langen nacht on forcht peweget. 20
Rinüczo entpocz pey dem knecht,
Het er sie lieb, das er ir precht
Den dotten man vmb miternacht.
Det er das nit, das er nüer tracht,
Ir müesig ging in allen ecken. 25
Wolt sie also allpaid abschrecken.
Alexandrüm die pruenstig lieb
Zwnacht hinaüf den kirchoff trieb,
Stieg ins grab zw dem doten man
Vnd legt sein doten klaider an, 30
Legt sich neben in ein das grab,
Vnmenschlich forcht in pald vmbgab.
Pald es vmb miternachte war,
Schlich Rinüczo züm grabe dar
Vnd den deckel vom grabe rüeckt 35
Vnd sich mit forchten hinein püeckt,
Alexandrüm mit forcht vnd graus
Pey seinen fuesen schlept heraüs
Vnd wart in auf die achsel fassen,

---

14 *vngeschaffenst:* mißgestaltet, häßlich.

Drüeg in hinein der frawen gassen. 40
Die fraw an einem fenster stünd,
Pey dem monschein sie sehen künd,
Wie mit dem doten er herzweg.
Nün angefer es sich zw trüeg,
Die schergen da verporgen lagen. 45
Als sie sahen den dotten dragen,
Mit groser rümor auf in stiesen
Gewappnet mit schwerten vnd spiesen,
Fueren in an mit worten scharff.
Den dotten man er von im warff, 50
Gleich einem grosen müelsack schwer;
Flihent anhueb zw lawffen er;
Auch füere auf der dotte man,
Ein andre gassen ein entran.
Die fraw künt ir von herczen lachen, 55
Also mit den listigen sachen
Irr pueler alle paid abkam.
Also ein fraw in zuecht vnd scham
All pueler sol von ir abtreiben,
Thüet Johann Bocacius schreiben. 60

Anno salutis 1540, am 23 tag Jünj.

43 *herzweg:* herzog.
44 *angefer:* von ungefähr.
47 *rümor:* Lärm.

Der fuchs mit dem han.

In der kleweis Balth. Wencken.

1.

Ein hungriger fuchs thet außgon
Vnd fand bei einem dorf ein hon
Auf einem zaun, den ret er on:

»Ein gute stim dein vater het;
Drum kum ich her an dise stet,   5
Ob im dein stim auch gleichen thet.«

Die hoffart trang
Den hon, der schwang
Sein flügel, hub laut an vnd sang
Mit pschlossnen augen, das es klang.   10

2.

Der fuchs ergrif den han im sprung
Vnd sich mit im gen holze schwung,
Im liefen nach alt vnde jung,

Schrien: »Der fuchs tregt vnsern han.«
Der han ret den fuchs also an: 15
»Hör, wie die bauren schreien thon.

Sprich: Ich trag mein
Han hie alein
Vnd nicht der bauren gros vnd klein.«
Den fuchs rit auch die hoffart sein,   20

---

7 *trang:* dringen: nötigen.

3.

Ließ aus dem maul den gfangnen han
Vnd wolt die bauren schreien an,
Der han im auf ein baum entran
Vnd schri: »Mein fuchs, vernim den sin!
Der bauren han ich wider bin,   25
Lauff nur dein stras vngessen hin.«

Der fuchs der schlug
Sein maul genug,
Sprach: »Dein gschwecz mich vmb den han drug.
Wer schweigen kan, ist weiß vnd klug.«   30

1548 November 3.

Nachwort

Mit dem Ende des Mittelalters wandelt sich der Charakter der deutschen Dichtung: die ritterlich-höfischen Ideale verblassen, der Einfluß geistlicher Strömungen geht zurück; die Freude des Minnesängers an edler Form wird abgelöst durch das Behagen des Bürgers an buntem Stoff, an derber Lebenslust und lehrhafter Verständigkeit, aus dem die Schwankdichtung erwächst. Diesseits gerichtete volkstümliche Kräfte drängen mit dem 16. Jahrhundert allenthalben heran.

Hans Sachs ist ein echtes Kind dieses aufstrebenden Bürgertums. Noch ist ihm die ständische Ordnung mit Armut und Reichtum von Gott bestimmt. Schuld an allem Übel ist der Mensch mit seinen Schwächen, und seine Aufgabe ist es, die Gegensätze durch Befolgung der christlichen Glaubensgebote auszusöhnen. Wenn Hans Sachs die bürgerlichen Tugenden, wie Ehrlichkeit und Fleiß, höher schätzt als eine hohe Stellung, die oft unrechtmäßig erworben ist, so zeigt sich in ihm schon die Denkweise einer neuen Zeit, wenn er sie auch noch nicht völlig begreift.

Nürnberg war seine Vaterstadt, führend in Gewerbe, Handel, Kunst und Wissenschaft mit Namen wie Wilibald Pirckheimer, Martin Behaim, Adam Krafft, Peter Vischer, Veit Stoß, Albrecht Dürer und vielen anderen. Unsere Kenntnisse über das Leben des Hans Sachs stammen fast alle aus seinen Dichtungen. Eine wichtige Quelle ist die *Summa all meiner gedicht* von 1567.

Hans Sachs war in erster Linie Meistersänger. Seine rund 4200 Meisterlieder hat er wohl als seine wichtigste Leistung angesehen. Er war unbestritten der berühmteste unter den Meistersängern, deren Zunft sich im Spätmittelalter in Nürnberg und anderen Orten herausgebildet hatte. Ihre Liedform nannten sie seit Ende des 15. Jahrhunderts ›Bar‹. Der Bar hat mehrere, gewöhnlich drei ›Gesätze‹, die meist aus zwei ›Stollen‹ mit gleicher Melodie und Metrik und dem andersartigen ›Abgesang‹ bestehen. Die Verse (›Wort‹) und die Melodie (›Weise‹) bilden den ›Ton‹. Der Erfinder eines neuen Tones heißt Meister. Es sind über 400 Töne bekannt. Die Meistersänger betrieben die Dichtung zunftmäßig; deren allerpersönlichste Gattung, die Lyrik, wurde bei ihnen zu einer handwerklichen Übung, die von einem ›Merker‹ (Richter) nach der ›Tabulatur‹ (strengen Ordnung) rein schematisch-regelhaft beurteilt wurde. Das Dichten war ein erlernbares Handwerk, das als Nebenberuf und Mittel zur Standeserhöhung betrieben wurde.

Die Melodie war einstimmig und liturgieartig. Hans Sachs überragte die zeitgenössischen Meistersänger nicht nur als Dichter, sondern auch als Komponist bedeutend. Seinen Melodien wird noch heute inneres Leben nachgerühmt, während die der anderen mehr nur äußerliche Nachahmungen des gregorianischen Kirchengesanges sind. Neu ist bei Hans Sachs, daß er sich an das damals blühende Volkslied anschließt. Man sieht in seiner Musik auch ein Vorbild des späteren protestantischen Chorals. Sowohl Text wie Musik sind bei ihm aber ungleich sorgfältig bearbeitet; er hat nicht weniger als eine halbe Million Verse geschrieben.

Die Metrik des Meistergesanges ist recht primitiv. Man zählte einfach die Silben. Diese Mißachtung des Wortakzentes erklärt sich aus dem Vorwiegen der Musik und findet eine gewisse Begründung auch in der Tatsache, daß im 16. Jahrhundert viele heute tonlose Silben betont gesprochen wurden.

Metrisch verschieden vom gesungenen Meistergesang sind die gesprochenen Verse, die Spruchgedichte, d. h. die Fabeln, Schwänke und die dramatischen Dichtungen. Ihre Form zeigt scheinbar jambische Verse von 8 bis 9 Silben, aber gleichfalls ohne Berücksichtigung von Wort- und Satzakzent. Man opferte damals den Sinn dem Rhythmus. Verse mit dem gleichen Tonfall sind leichter zu sprechen als solche mit der richtigen Wortbetonung und wechselndem Tonfall.

In seinen Anfängen folgte Hans Sachs der alten scholastischen Tradition und besang die Geheimnisse der Trinität, die Erschaffung der Welt und andere Glaubenssätze der Kirche in den Tönen der zwölf alten Meister; bald aber, wie schon Adam Puschmann und Hans Folz, in neuen Tönen auch Stoffe weltlichen Charakters, besonders seit er Boccaccios *Decamerone* in der sog. Steinhöwelschen Übersetzung kennengelernt hatte. Diese Erzählungen erotischer Leidenschaften und Verwicklungen zogen ihn an, doch ließ er bei seinen Bearbeitungen alles Schlüpfrige weg.

1520 verstummte er für etwa drei Jahre. Er setzte sich mit der Reformation auseinander und schrieb 1523 *Die Wittembergisch Nachtigall* als seinen Beitrag zum großen Glaubensstreite, ferner die ›sieben Dialoge‹, von denen sechs erhalten sind: sie sind die einzige Prosa, die wir von Hans Sachs besitzen.

Neben Boccaccio boten ihm die damals zahlreich erscheinenden Übersetzungen antiker Quellen, alte deutsche Sagen u. a. reiche Stoffe auch für den Meistergesang. Seine Bibliothek umfaßte in seinem siebenundsechzigsten Jahre (1562) ohne die 29 handschriftliche Bände zählenden Meistergesänge und Spruchgedichte 82 Bände. Er popularisierte diese Stoffmassen, die z. T. der Humanismus neu erschlossen hatte. Hans Sachs war ein Stoffgenie, vom Hauch des mitteldeutschen Humanismus umweht, zwar etwas philisterhaft, aber biederbehaglich und poetisch. Seine Dichtung zeigt, wie die volksmäßige Poesie allgemein, durchweg stoffliche Abhängigkeit; eigen ist die Form und Behandlungsart. Seinen gewaltigen Erfolg beim deutschen Publikum beschränkte erst der Dreißigjährige Krieg durch das Eindringen der Fremdländerei.

Von Politik hielt er seine Dichtung frei. Vaterland ist ihm Teutschland, das er unzählige Male mit den Beinamen ›geliebt‹, ›lieb‹, ›hertzenlieb‹ usw. erwähnt, und die freie Reichsstadt Nürnberg, in die sein Vater, der Schneidermeister Georg Sachs, eingewandert war. Oft überrascht bei ihm eine dichterische Liebe zur Natur, aus der auch die volkstümliche Eigenart und herzhafte Frische seiner Werke quillt.

Hans Sachs hat zuerst das Wort ›Landschaft‹ in unserem
modern künstlerischen Sinne gebraucht. Seine bäuerlichen
Naturmenschen erinnern oft an Gestalten flämischer
Bilder.

Wir stellen heute die frische Treuherzigkeit der Fabeln und
Schwänke über die Meistergesänge. Dort konnte sich Hans
Sachs behaglich gehen lassen und ausleben. Wohl wird er oft
nach Brauch der Zeit etwas derb, aber nie unsauber. Als
Schwankdichter hat er unter den Zeitgenossen nicht seines-
gleichen. Auch als Dramatiker stand er hoch über ihnen.
Seine Leistungen auf diesem Gebiet sind historisch beson-
ders bedeutsam geworden und haben das deutsche Volks-
theater beeinflußt. Freilich sind die Tragedien, Comedien
und Historien oft nur dialogisierte Erzählungen von ein-
fachster dramatischer Technik. In seiner *Griselda* z. B. wird
von der gleichen Person am gleichen Tage gefreit, geheiratet
und geboren. Aber ganz ohne Wissen des Dramatischen war
Hans Sachs nicht; er hatte von den Dialogen Lukians und
Huttens gelernt und kannte Plautus, Terenz und auch
Reuchlin. Mit seinen Fastnachtspielen brachte er an Stelle
des alten ›unzüchtigen Wesens‹ der manchmal unglaublich
schamlosen Spiele gesunde Hausmannskost mit lehrhafter
Tendenz. Die meisten schrieb er in späteren Jahren; sie
waren für die Aufführung teils in Privathäusern, teils an
öffentlichen Orten bestimmt und wurden nicht nur zur
Fastnachtszeit gespielt. Hans Sachs trat gelegentlich auch
selbst als Schauspieler auf. In den Fastnachtspielen zeigt sich
uns eine andere Welt als die der Meistersänger: sie sind
volksmäßig, holzschnittartig und geben einen getreuen Spie-
gel von Leben und Sitten des sechzehnten Jahrhunderts. Ort
und Zeit machen ihm bei diesen meist einaktigen Stücken
keine Mühe. Die meisten der 85 Spiele, ungefähr ein Drittel
seiner Dramen, üben noch heute mit herzhaftem
Humor eine starke Wirkung aus. Hans Sachs folgte seinen
Quellen nicht sklavisch, er kannte und gebrauchte viele
dramentechnische Mittel und band einen gewandten
Dialog.

Die Literaturgeschichte hat ein ununterbrochenes Weiterleben des Nürnberger Schusterpoeten nachgewiesen. Seinen während des Barock verblaßten Ruhm erneuerte Christian Thomasius (der ihn sogar über Homer stellte), Gottsched lobte ihn, und dann verklärten die Großen des Klassizismus seine schlichte Gestalt mit neuem Glanze: Goethe in *Hans Sachsens poetischer Sendung*, Herder, Wieland, Lessing, Bürger, Gleim, Schubart, Schiller, der den Hans Sachsschen Knittelvers in *Wallensteins Lager* ebenso verwendete wie Goethe im *Faust*, dann die Romantiker und schließlich Richard Wagner in seinen *Meistersingern von Nürnberg*. Wie diese Renaissance begann, erzählt uns Goethe im 18. Buch von *Dichtung und Wahrheit*.

Eugen Geiger

Inhalt

Summa all meiner gedicht 3
    Hans Sachs. Hrsg. von A. v. Keller und E. Goetze.
    Bd. 21. Tübingen 1892. S. 337–344
Das heiß Eysen 11
    Sämmtliche Fastnachtspiele von Hans Sachs. Hrsg. von
    Edmund Goetze. Bd. 3. Halle a. d. Saale 1883. Nr. 38
Der farendt Schuler im Paradeiß 22
    Ebda. Bd. 2. Nr. 22
Der rosdieb zw Fünssing mit den dollen diebischen
    pawern 36
    Ebda. Bd. 4. Nr. 59
Der doctor mit der grosen nasen 51
    Ebda. Bd. 7. Halle a. d. S. 1887. Nr. 83
Das Schlauraffen Landt 65
    Sämtliche Fabeln und Schwänke von Hans Sachs. Hrsg.
    von Edmund Goetze. Bd. 1. Halle a. d. S. 1893. Nr. 4
Das kelberprüten 69
    Ebda. Bd. 4: Die Fabeln und Schwänke in den Meisterge-
    sängen. Hrsg. von Edmund Goetze und Carl Drescher.
    Halle a. d. S. 1903. Nr. 381
Sant Petter mit den lanczknechten im himel 72
    Ebda. Bd. 1. Nr. 166
Die zwen petrognen püeler 74
    Ebda. Nr. 63
Der fuchs mit dem han 77
    Ebda. Bd. 4. Nr. 548

Nachwort 79

Literatur des 15. und 16. Jahrhunderts

IN RECLAMS UNIVERSAL-BIBLIOTHEK

Heinrich Bebel, *Comoedia de optimo studio iuvenum / Über die beste Art des Studiums für junge Leute.* Lat./dt. 176 S. UB 7837

Götz von Berlichingen, *Lebensbeschreibung des Ritters Götz von Berlichingen.* Ins Neuhochdeutsche übertragen von Karl Müller. 104 S. UB 1556

Sebastian Brant, *Das Narrenschiff.* Übertragung von H. A. Junghans. 532 S. 115 Holzschnitte. UB 899

Erasmus von Rotterdam, *Adagia.* Lat./dt. Ausw. 224 S. UB 7918 – *Colloquia familiaria / Vertraute Gespräche.* Lat./dt. 79 S. UB 9822 – *Das Lob der Torheit* (Encomium moriae). 136 S. UB 1907 – *Familiarium colloquiorum formula / Schülergespräche.* Lat./dt. Ausw. 87 S. UB 7784

Fastnachtsspiele des 15. und 16. Jahrhunderts. 464 S. 9 Abb. UB 9415

Johann Fischart, *Flöh Hatz, Weiber Tratz.* 159 S. UB 1656

Historia von D. Johann Fausten, dem weitbeschreyten Zauberer und Schwarzkünstler. 165 S. UB 1515

Historia von D. Johann Fausten. Text des Druckes von 1587. Kritische Ausgabe. Mit den Zusatztexten der Wolfenbütteler Handschrift und der zeitgenössischen Drucke. 336 S. UB 1516

Johannes von Tepl, *Der Ackermann aus Böhmen.* Zweisprachig. Übertr. von Felix Genzmer. 96 S. UB 7666

Ein kurtzweilig Lesen von Dil Ulenspiegel. Nach dem Druck von 1515. 304 S. 87 Holzschnitte. UB 1687

Das Lalebuch. Mit den Abweichungen des Schildbürgerbuches. 174 S. UB 6642

Lateinische Gedichte deutscher Humanisten. Lat./dt. 519 S.
23 Abb. UB 8739

Martin Luther, *An den christlichen Adel deutscher Nation.*
Von der Freiheit eines Christenmenschen. Sendbrief vom
Dolmetschen. 175 S. UB 1578 – *Tischreden.* 317 S. UB
1222 – *Vom ehelichen Leben und andere Schriften über die
Ehe.* 96 S. UB 9896 – *Das Neue Testament in der deut-
schen Übersetzung* von Martin Luther nach dem Bibel-
druck von 1545 mit sämtlichen Holzschnitten. Studien-
ausgabe in 2 Bänden. 736 S. UB 3741, 381 S. UB 3742.

Philipp Melanchthon, *Glaube und Bildung.* Texte zum
christlichen Humanismus. Lat./dt. 224 S. UB 8609

Thomas Müntzer. *Die Fürstenpredigt.* Theologisch-politi-
sche Schriften. 160 S. UB 8772

Paracelsus, *Vom Licht der Natur und des Geistes.* 232 S.
UB 8448

Willibald Pirckheimer, *Eckius dedolatus / Der enteckte Eck.*
Lat./dt. 128 S. UB 7993

Paul Rebhun, *Ein Geistlich Spiel von der Gotfürchtigen und
keuschen Frauen Susannen* (1536). 143 S. UB 8787

Das Redentiner Osterspiel. Mhd./Nhd. 293 S. UB 9744

Reineke Fuchs. Das niederdeutsche Epos Reynke de Vos
von 1498 mit 40 Holzschnitten des Originals. Übertr.
von Karl Langosch. 295 S. UB 8768

Johannes Reuchlin, *Henno.* Lat./dt. 72 S. UB 7923

Hans Sachs, *Meistergesänge. Fastnachtspiele. Schwänke.*
Ausw. 84 S. UB 7627 – *Die Wittenbergisch Nachtigall.*
Spruchgedicht, vier Reformationsdialoge und das Mei-
sterlied Das walt Got. 190 S. 5 Abb. UB 9737

Georg Wickram, *Das Rollwagenbüchlin.* 205 S. UB 1346

Philipp Reclam jun. Stuttgart

Max Wehrli

Literatur im deutschen Mittelalter
Eine poetologische Einführung. 358 S. UB 8038

*Geschichte der deutschen Literatur
von den Anfängen bis zur Gegenwart*

Band I: Vom frühen Mittelalter
bis zum Ende des 16. Jahrhunderts
Leinen-Ausgabe

»Wehrlis Literaturgeschichte ist gut zu lesen, aber sie ist
nur scheinbar leicht zu lesen. Er schreibt eine wissenschaft-
liche Prosa von luzider Lebendigkeit, die die Lektüre zu
einem fesselnden Genuß macht. Man müßte das Buch mehr-
mals lesen, um in einer Art Kreisbewegung den Standort
zu erreichen, von dem aus sich einem die mittelalterliche
Literaturlandschaft in derselben geistigen Weite darbietet
wie dem Autor selbst. Die Weite des Herzens freilich,
mit der sie bei ihm zusammengeht und die sein Erzählen
mit Menschlichkeit und Humor erfüllt, wird man, je weni-
ger sie lernbar ist, um so mehr nur schlicht bewundern
können.«

Neue Zürcher Zeitung

Philipp Reclam jun. Stuttgart